Imágenes de España

# Material de Prácticas

Sebastián Quesada

GRUPO DIDASCALIA, S.A.
Plaza Ciudad de Salta, 3 - 28043 MADRID - (ESPAÑA)
TEL.: (34) 914.165.511 - (34) 915.106.710
FAX: (34) 914.165.411
e-mail: edelsa@edelsa.es - www.edelsa.es

Primera edición: 2001
Primera reimpresión: 2004
Segunda reimpresión: 2005
Tercera reimpresión: 2006
Cuarta reimpresión: 2009



Dirección y coordinación editorial: Departamento de Edición de Edelsa.
Diseño de cubierta: Departamento de Imagen de Edelsa.
Maquetación y fotocomposición: Carolina García González.
Imprenta: Pimakius.

ISBN: 978-84-7711-582-3
Depósito legal: M-6273-2009

Impreso en España
*Printed in Spain*

Ilustraciones: Javier Ruiz (mapas y pág. 33) y Julián Hormigos.
Fotografías:
- Agencia EFE: pág. 81
- Archivo Fotográfico del Museo Arqueológico (E. Domínguez): pág. 24
- Brotons: págs. 30, 36, 51, 53c, 66, 78.
- Contifoto: pág. 15.
- Eva Sánchez: pág. 6.
- Instituto Cervantes: pág. 22
- Javier Peña: pág. 9.
- Museo de las Cortes de Cádiz: pág. 63.
- Museo del Prado: pág. 58
- Museo Municipal de Madrid: pág. 69, 76.
- Productora El Deseo: pág. 21.
- Victoria de los Ángeles López Iglesias: pág. 18.

Notas:
-La Editorial Edelsa ha solicitado los permisos de reproducción correspondientes y agradece expresamente a los particulares, empresas privadas y organismos públicos que han prestado su colaboración.
-Las imágenes y documentos no consignados más arriba pertenecen al Archivo y al Departamento de Imagen de Edelsa.

# Presentación

Las tareas y ejercicios propuestos en este cuaderno están organizados en orden de dificultad, de los más sencillos a los más complejos, de acuerdo con los principios de sistematización, secuenciación y globalización, y giran en torno a los núcleos fundamentales de cada unidad didáctica o capítulos del manual *Imágenes de España*. Se ha procurado despertar el interés de los estudiantes y fomentar su capacidad de comprensión, de deducción, de síntesis, de búsqueda para relacionar unos conceptos con otros.

Las respuestas a las cuestiones y la realización de los ejercicios favorecen el autoaprendizaje y la autoevaluación, y ayudan al alumno a ordenar sus conocimientos. Es claro que, aunque la información necesaria para la realización de las diferentes tareas y ejercicios está contenida en el manual *Imágenes de España*, la utilización de otros libros y de variado material didáctico, informativo y de apoyo -Internet, vídeos, prensa, programas de radio y televisión, textos seleccionados, material iconográfico, etc.- es de extrema utilidad.

Este *Material de Prácticas* aspira también a orientar y facilitar la labor del profesor, que deberá adaptar las tareas y los ejercicios a los intereses de sus estudiantes y a su nivel de conocimientos de la lengua española y de la materia impartida, y prestará especial atención al enriquecimiento del léxico y a la mejora de la sintaxis y de la expresión.

Es conveniente realizar oralmente y por escrito la mayor parte de las tareas y ejercicios. El trabajo en equipo y por grupos favorece el intercambio de información y, por tanto, el proceso de enseñanza/aprendizaje.

Cada uno de los capítulos de este cuaderno consta de cinco secciones con un número fijo de ejercicios. Al final del libro se incluyen las claves de todos los ejercicios que exigen una respuesta cerrada. Las respuestas dadas a las preguntas del ejercicio 1 de "El texto en su contexto" son fundamentalmente orientativas, por lo que, lógicamente, pueden ser ampliadas, abreviadas o transformadas según la opinión del lector-estudiante. El ejercicio 3 de la sección "El orden del texto" también requiere una respuesta concreta, pero en algunos casos puede prestarse a diferentes interpretaciones.

Respecto a los comentarios de textos, se propone seguir, a título orientativo, el siguiente esquema:

– Leer los textos cuantas veces sea necesario hasta lograr su perfecta comprensión. Se recomienda el uso de diccionarios y libros especializados para resolver las dudas que puedan presentarse.

- Identificar el asunto tratado en el texto.
- Identificar la idea central del autor.
- Indicar la postura del autor: científica, realista, crítica, intimista, subjetiva, etc.
- Resumir las tesis y argumentos del autor.
- Subrayar los párrafos y frases del texto que se consideren fundamentales.
- Exponer opiniones personales sobre la cuestión tratada por el autor y sobre su visión de la misma.
- Comentar, en su caso, las características generales de la época o circunstancia a que el texto se refiere.
- Valorar la información proporcionada por el texto y su contribución al conocimiento de la materia expuesta en el capítulo correspondiente.
- Si se trata de un texto literario, indicar la forma de expresión (poesía, narrativa, ensayo, crítica, etc.) y las características y peculiaridades del autor y de la generación, grupo o corriente a la que pertenece.

Las orientaciones básicas propuestas para los comentarios de texto pueden ser enriquecidas y ampliadas, y es conveniente hacerlo, de acuerdo con los criterios personales del lector-estudiante y del profesor. Igual libertad de criterio es aplicable a las tareas interactivas, a los diálogos y a las redacciones.

Como tareas complementarias a las propuestas se recomienda leer y comentar textos literarios, políticos, etc. de cada época histórica; resumir textos, coloquios y proyecciones; desarrollar teorías, diálogos y debates sobre cuestiones importantes; explotar al máximo el material de apoyo que mejor refleje la imagen de la sociedad española de cada época histórica, con especial mención de las posibilidades que brinda Internet; contrastar las opiniones de diferentes autores sobre los mismos asuntos y cuestiones; comentar las corrientes de pensamiento, los estilos artísticos y literarios y sus relaciones con las circunstancias históricas en que surgieron y se desarrollaron; sugerir títulos para las más variadas tesis, y desarrollar tesis e ideas a partir de títulos sugeridos por el propio alumnado.

El autor

# Índice

# *LAS TIERRAS Y LAS GENTES DE ESPAÑA*

## EL TEXTO EN SU CONTEXTO

**1 Responda a las preguntas siguientes a partir de la lectura del capítulo I.**

1. ¿Qué hechos geográficos explican la diversidad de los climas y paisajes españoles?

   ..................................................................................................

2. ¿Cuáles son los rasgos dominantes en el clima de la Península Ibérica?

   ..................................................................................................

3. ¿Recuerda Vd. el promedio de hijos por mujer en España?

   ..................................................................................................

4. ¿Qué conclusiones obtiene del hecho del envejecimiento progresivo de la sociedad española?

   ..................................................................................................

5. ¿Recuerda Vd. los tres supuestos en los que el aborto está despenalizado?

   ..................................................................................................

6. ¿Cuáles son las actividades básicas de la economía española?

   ..................................................................................................

7. ¿Es deficitaria la balanza de pagos española?

   ..................................................................................................

8. ¿Cuáles son los productos de exportación españoles más importantes?

   ..................................................................................................

## 2 ¿Verdadero o falso? Elija la opción correcta para cada una de las frases propuestas.

| | V | F |
|---|---|---|
| 1. La Península Ibérica es la más occidental y extensa de las penínsulas mediterráneas. ______ | ☐ | ☐ |
| 2. La erosión y la desertización están en progresión en España. ______ | ☐ | ☐ |
| 3. El índice de paro está disminuyendo en España. ______ | ☐ | ☐ |
| 4. El volumen de la economía sumergida en España es inferior a la media europea. ______ | ☐ | ☐ |
| 5. Los trabajadores del sector servicios son más del doble que los del sector industrial. ______ | ☐ | ☐ |
| 6. Los beneficios obtenidos del turismo y de las inversiones en el exterior contribuyen a equilibrar la balanza de pagos. ______ | ☐ | ☐ |
| 7. Las inversiones en el exterior se han reducido en los últimos años. ______ | ☐ | ☐ |
| 8. Los cítricos y los productos hortofrutícolas son los más exportados y competitivos del campo español. ______ | ☐ | ☐ |

## 3 Complete las frases con las palabras que aparecen en los recuadros.

MENOR · QUINTA · DIVERSIDAD · CENTRISTA · 74,4 · DINÁMICAS · 660 m

1. A causa de la ______ de climas, la Península Ibérica constituye un pequeño continente.
2. La altitud media del relieve de España es de ______ .
3. La esperanza de vida es de 81,6 años para las mujeres y de ______ para los hombres.
4. España es uno de los países de ______ tasa de fecundidad del mundo.
5. La mayoría de los españoles son de ideología ______ .
6. Por su volumen, la economía española es la ______ de Europa.
7. La industria de la automoción es una de las más ______ de España.

**4** **Elija entre las frases siguientes las que considere más ajustadas a la realidad.**

A.
1. El clima de España es homogéneo en todo el territorio. ☐
2. El clima de España es muy variado. ☐

B.
1. La población española está concentrada en las regiones del interior. ☐
2. La población española se concentra en las costas y en las islas. ☐

C.
1. En España hay más mujeres que hombres. ☐
2. En España hay más hombres que mujeres. ☐

D.
1. España es uno de los países más baratos de la Unión Europea. ☐
2. Los precios en España son similares a los del resto de países de la Unión Europea. ☐

## EL ORDEN DEL TEXTO

**1** **Agrupe las palabras en la categoría que corresponda.**

volcán del Teide / esperanza de vida / saldo migratorio / despenalización del aborto / movimientos contraculturales / Parques Nacionales / PIB / euro / meseta / ICONA

| ECOLOGÍA | ACCIDENTES GEOGRÁFICOS | INDICADORES ECONÓMICOS | SOCIEDAD | GEOGRAFÍA HUMANA |
|---|---|---|---|---|
| | | | | |

**2** **Ahora escriba frases con los elementos de cada categoría.**

..............................................................................................................

..............................................................................................................

..............................................................................................................

..............................................................................................................

..............................................................................................................

**3 Forme parejas con los nombres, términos o conceptos que tengan relación entre sí.**

| | | | |
|---|---|---|---|
| río | • | • | índice de paro |
| puerto | • | • | estructura radial |
| empleo | • | • | balanza comercial |
| ocio y cultura | • | • | Algeciras |
| pesca | • | • | Duero |
| energía | • | • | acuicultura |
| exportaciones | • | • | sector primario |
| minería | • | • | industrias culturales |
| carreteras | • | • | eólica |

## LA IMAGEN DEL TEXTO

**1 A partir de esta imagen, trate de escribir un breve texto en el que aparezcan las palabras propuestas.**

Medio ambiente
Playas
Turismo
Respeto

..............................................................
..............................................................
..............................................................
..............................................................
..............................................................
..............................................................
..............................................................

## MÁS ALLÁ DEL TEXTO

# A

"Las características geográficas generales derivadas de la situación se ven modificadas, diversificadas y contrastadas regional y comarcalmente por la configuración horizontal y vertical de la Península Ibérica, que tiene formas macizas, elevada altitud media y una ordenación del relieve propicia a la compartimentación, al aislamiento y al cantonalismo [...].

En nada se parece el perfil costero poco articulado de nuestra piel de toro -repiten una y otra vez los geógrafos- al afilamiento de la Península Itálica o al fraccionamiento de la Helénica, y bastante, en cambio -dice Sorre-, al que tienen el África menor y la Anatolia. La característica dominante del litoral hispano es su articulación en óvalos de gran radio de curvatura, separados por cabos que raras veces avanzan dos kilómetros mar adentro. De ahí la tendencia acusadamente continental que los regímenes térmicos tienen en la mayor parte del país.

Con razón se dice que España es un pequeño continente, especialmente si se considera cómo contribuye al aislamiento respecto del mar la disposición de las grandes unidades del relieve, que recuerda a la de un baluarte inexpugnable (la Meseta Central) rodeado por una línea de murallas (Cordillera Cantábrica, Sistema Ibérico, Sierra Morena), flanqueado externamente por dos fosos (las depresiones del Ebro y Guadalquivir) y defendida del lado de Europa y del África por las murallas montañosas de los Pirineos y de las Cordilleras Béticas, respectivamente".

**(En *España, país de contrastes geográficos*, de Alfredo Floristán Samanes. Madrid. Síntesis. 1990.)**

1. Después de leer el texto, identifique el asunto tratado y enúncielo en una frase.

....................................................................................................

2. Resuma las tesis y argumentos del autor.

....................................................................................................

3. Subraye los párrafos o frases fundamentales y exponga su opinión sobre las cuestiones tratadas.

....................................................................................................

3

*ABC*, 11 de mayo de 2000

# *Se necesitan inmigrantes*

**Por José Mª García-Hoz**

"Con el actual nivel de nacimientos y suponiendo que no hubiera **inmigrantes**, dentro de cincuenta años, España será el país más viejo del mundo: el 37 por ciento de la población tendrá más de 65 años, frente al 17 por ciento de hoy. Además de más viejos, seremos también menos, pues para el 2050, según la misma fuente, la población española habrá caído en un 23,6 por ciento, reduciéndose a treinta millones de habitantes.

A pesar de que estas cifras están sujetas a cambios, pues las proyecciones demográficas desarrollan toda la película del futuro a partir de la foto fija que se ha tomado hoy, la conclusión es evidente e inevitable: España necesita **emigrantes** y los necesita porque si no vienen, dentro de muy poco sólo seis de cada diez ciudadanos estarán en condiciones de contribuir a atender las necesidades económicas de los otros cuatro. En caso de cumplirse estos **pronósticos** sobre **cotizantes** y perceptores, el sistema de la Seguridad Social **saltaría por los aires**. Aun admitidas las salvedades pertinentes, el Reino de España, para no empeorar la presente proporción de activos-pensionistas, necesita una inyección anual de millón y medio de personas".

1. Relacione las siguientes definiciones con los términos o expresiones correspondientes que aparecen destacados en el texto.

   a. Anticipar resultados para el futuro a partir de algunos indicios.

   b. Persona que llega a un país para establecerse en él.

   c. Persona que sale de un país para establecerse en otro.

   d. Quien paga una cuota a la Seguridad Social.

   e. Expresión equivalente a explotar, en el sentido de hacer fracasar o frustrar expectativas iniciales.

2. ¿Cuál cree usted que es la postura del autor sobre la inmigración? Subraye las palabras o expresiones que mejor la definan.

3. ¿Qué subtítulo elegiría para cada uno de los párrafos de que consta el fragmento?

## PROPUESTAS PARA EL DEBATE

1. Según lo que sabe o ha podido conocer indirectamente, ¿qué hábitos, costumbres o comportamientos de los españoles destacaría como más diferentes respecto de los suyos propios o de los de su país? Analice la realidad social española a partir de los problemas que tiene planteados la juventud.

## EN INTERNET

Si quiere saber algo más sobre los periódicos españoles, le recomendamos visitar algunas de las ediciones digitales de los principales diarios españoles:

www.elpais.es www.abc.es www.elmundo.es www.lavanguardia.com

Consulte la sección de sociedad y compárela con la de los periódicos de su país.

# *EL MARCO JURÍDICO-CONSTITUCIONAL*

## EL TEXTO EN SU CONTEXTO

**1 Responda a las preguntas siguientes a partir de la lectura del capítulo II.**

1. ¿A qué llamamos Cortes Generales?

..............................................................................................................................

2. ¿En qué consiste el Estado de las Autonomías?

..............................................................................................................................

3. ¿Cuáles son los órganos de gobierno de las Comunidades Autónomas?

..............................................................................................................................

4. ¿Las Comunidades Autónomas poseen competencias fiscales?

..............................................................................................................................

5. ¿En qué Comunidades Autónomas tienen mayor implantación los partidos nacionalistas?

..............................................................................................................................

6. ¿A qué aspira la mayoría de los líderes nacionalistas?

..............................................................................................................................

7. ¿Cuáles son las "comunidades históricas"?

..............................................................................................................................

8. ¿La Seguridad Social era deficitaria al concluir el año 2000?

..............................................................................................................................

## 2 ¿Verdadero o falso? Elija la opción correcta para cada una de las frases propuestas.

| | V | F |
|---|---|---|
| 1. Las Cortes del 22 de junio de 1977 fueron las primeras verdaderamente democráticas desde el fin de la Guerra Civil. ____________ | ☐ | ☐ |
| 2. Cada legislatura tiene una duración de seis años. ____________ | ☐ | ☐ |
| 3. Los Estatutos concretan y desarrollan la autonomía política y administrativa de cada Comunidad Autónoma. ____________ | ☐ | ☐ |
| 4. Los firmantes de la Declaración de Barcelona (junio de 1998) se manifestaron a favor del mantenimiento del actual Estado autonómico. ____ | ☐ | ☐ |
| 5. El analfabetismo ha sido erradicado. ____________ | ☐ | ☐ |
| 6. El Gobierno trata de favorecer la contratación laboral estable mediante la concesión de ventajas fiscales a las empresas. ____________ | ☐ | ☐ |

## 3 Complete las frases con las palabras que aparecen en los recuadros.

CENTRO-DERECHA · 83,6% · SUFRAGIO · SOCIAL · CONCIENCIA · MISIONES · REPRESENTACIÓN

1. La Constitución define a España como un Estado ____________ y democrático.
2. Las Cortes son el órgano de ____________ nacional.
3. El Congreso y el Senado son elegidos por ____________ universal.
4. Las Fuerzas Armadas españolas participan en ____________ de paz.
5. La ideología del Partido Popular (PP) es de ____________ .
6. La libertad religiosa y de ____________ está reconocida por la Constitución.
7. El ____________ de los españoles se declara católico.

**4** **Elija entre las frases siguientes las que considere más ajustadas a la realidad.**

A.
1. Los nacionalismos ibéricos surgieron durante la Transición Democrática. ☐
2. Los nacionalismos ibéricos surgieron en el siglo XIX. ☐

B.
1. España es el segundo país europeo en número de estudiantes del ciclo superior. ☐
2. El número de universitarios españoles es muy inferior a la media europea. ☐

C.
1. El gobierno español colabora con las organizaciones no gubernamentales que actúan en los países del Tercer Mundo. ☐
2. El Gobierno español apenas colabora con las organizaciones no gubernamentales. ☐

## EL ORDEN DEL TEXTO

**1** **Agrupe las palabras en la categoría que corresponda.**

Transición Democrática / Constitución / Cortes / estructura centralista y unitaria del Estado / Comunidades Autónomas / Administraciones Públicas / PNV / Declaración de Barcelona

| NACIONALISMOS | ORGANIZACIÓN DEL ESTADO | INSTITUCIONES | SUCESOS HISTÓRICOS |
|---|---|---|---|
| | | CONSTITUCIÓN | |

**2** **Ahora escriba frases con los elementos de cada categoría.**

..............................................................................................................

..............................................................................................................

..............................................................................................................

..............................................................................................................

**3** **Forme parejas con los nombres, términos o conceptos que tengan relación entre sí.**

| | |
|---|---|
| Congreso • | • OTAN |
| Partido Comunista de España (PCE) • | • Izquierda Unida (IU) |
| Partido Popular (PP) • | • derecha reformista |
| Comisiones Obreras (CCOO) • | • sindicato |
| Tratado del Atlántico Norte • | • Senado |

## LA IMAGEN DEL TEXTO

**1** **A partir de esta imagen, trate de escribir un breve texto en el que aparezcan las palabras propuestas.**

Soldados
Paz
Desplazados

..............................................................................

..............................................................................

..............................................................................

..............................................................................

..............................................................................

..............................................................................

## MÁS ALLÁ DEL TEXTO

# A

"Uno de los fenómenos más significativos de la configuración actual de España es su organización en **Comunidades Autónomas**, fenómeno esencialmente político, pero cuyas consecuencias han transformado profundamente aspectos de la Administración, la economía, la cultura y la vida cotidiana de la sociedad española. El Estado de las Autonomías, contemplado en el **título** VIII de la Constitución, se ha ido construyendo gradualmente durante los gobiernos de UCD, del PSOE y del PP. Pensado inicialmente para satisfacer las demandas de autonomía de unas pocas regiones o nacionalidades "históricas" (fundamentalmente Cataluña, el País Vasco y Galicia), este régimen autonómico se extendió a otras regiones cuyos ciudadanos deseaban también disponer de una Administración propia, más cercana a sus problemas.

Entre 1979 y 1983, todas las regiones españolas se constituyeron en Comunidades Autónomas, completándose el mapa en 1995 con la aprobación de los **estatutos** especiales de Ceuta y Melilla. La elaboración de los 19 estatutos de autonomía se hizo mediante incesantes conversaciones y negociaciones políticas; el mismo espíritu de consenso llevó a los pactos entre los dos partidos mayoritarios en 1981 (entre la UCD y el PSOE) y 1992 (entre el PSOE y el PP), por los que se armonizó el proceso autonómico para evitar **agravios comparativos** y orientar el conjunto hacia una homogeneización final de las autonomías.

La profundización del autogobierno de las nacionalidades históricas ha otorgado un gran protagonismo en sus instituciones a los partidos nacionalistas de ámbito regional, que han aceptado responsabilidades de gobierno y se han orientado, en general, en un sentido moderado y constructivo".

**(En *España 2000*. Madrid. Secretaría de Estado de la Comunicación. 2000)**

1. Relacione las siguientes definiciones con los términos o expresiones correspondientes que aparecen destacados en el texto.

   a. Norma institucional básica que regula la ordenación de cada Comunidad Autónoma.

   b. Parte del territorio de un país con instituciones comunes a todo el Estado y con capacidad ejecutiva propia.

   c. Ofensa o injusticia que resulta de un trato desigual entre las partes.

   d. Los distintos apartados en que se divide una ley o texto jurídico.

2. ¿Desde qué fecha podría hablarse de la verdadera culminación del Estado de las Autonomías? ¿A qué acontecimiento lo asocia?

   ..........................................................................................................

3. ¿Qué subtítulo colocaría para cada uno de los párrafos de que consta el fragmento?

   ..........................................................................................................

B 

"La verdad es que el regionalismo o la configuración de un Estado basado en fórmulas de descentralización o de carácter federal no parece haber sido una reivindicación de primera magnitud en la fase inicial del cambio político, con la excepción del País Vasco y Cataluña (y, algo menos, de Galicia). Da toda la sensación de que si, a partir de un momento, hubo una espiral de reivindicaciones de este carácter, se debió a su nacimiento en el seno de la clase política dirigente, que acabó transmitiéndola al resto de la sociedad. Si las encuestas sociológicas revelaban que no existía esa voluntad reivindicativa generalizada, con el paso del tiempo, las reclamaciones vasca y catalana actuaron como detonante del sentimiento regionalista en la totalidad de España, aunque tuviera un contenido significativamente distinto".

***(En La transición democrática y el gobierno socialista, en Historia de España en el siglo XX, vol. IV, de Javier Tusell. Madrid. Taurus. 1999.)***

1. Después de leer el texto, identifique el asunto tratado y enúncielo en una frase.
2. Resuma las tesis y argumentos del autor.
3. Subraye los párrafos o frases fundamentales y exponga su opinión sobre las cuestiones tratadas.

## PROPUESTAS PARA EL DEBATE

1. Explique la forma en que está organizada la representación nacional en España.
2. Establezca una comparación entre el actual panorama ideológico español y el de su país. Trate de señalar las diferencias más significativas.
3. En su opinión, ¿cuáles son las ventajas e inconvenientes del Estado de las Autonomías?

## EN INTERNET

¿Quiere saber algo más sobre los Reyes de España o sobre la Constitución Española? Le recomendamos entrar en:
www.casareal.es;
www.tribunalconstitucional.es

# *LA CULTURA CONTEMPORÁNEA*

## EL TEXTO EN SU CONTEXTO

**1 Responda a las preguntas siguientes a partir de la lectura del capítulo III.**

1. ¿Por qué llamamos también castellano al español?

   ..........................................................................................................

2. ¿Qué lugar ocupa el español entre las lenguas más habladas del mundo?

   ..........................................................................................................

3. ¿Qué lugar ocupa el español entre las lenguas romance?

   ..........................................................................................................

4. ¿Cuál fue la primera gramática de una lengua romance?

   ..........................................................................................................

5. ¿Qué factores explican la expansión actual del español?

   ..........................................................................................................

6. ¿Cuál es la situación del español en los Estados Unidos de América?

   ..........................................................................................................

7. ¿Qué rasgo comparten la mayor parte de los literatos españoles contemporáneos?

   ..........................................................................................................

## 2 ¿Verdadero o falso? Elija la opción correcta para cada una de las frases propuestas.

| | V | F |
|---|---|---|
| 1. Se estima que a mediados del siglo XXI habrá unos 98 millones de hispanos en Estados Unidos. ______ | ☐ | ☐ |
| 2. El catalán recuperó su carácter de vehículo de expresión literaria en el siglo XIX. ______ | ☐ | ☐ |
| 3. El gallego fue un importante vehículo de expresión literaria durante la Edad Media. ______ | ☐ | ☐ |
| 4. El 97% de la población catalana es bilingüe. ______ | ☐ | ☐ |
| 5. En España se invierte más en investigación tecnológica que en básica. ______ | ☐ | ☐ |
| 6. Las formas actuales del flamenco se configuraron en la época romántica. | ☐ | ☐ |
| 7. La arquitectura actual es obra de autores independientes que comparten sobriedad y afán por armonizar estética y función. ______ | ☐ | ☐ |

## 3 Complete las frases con las palabras que aparecen en los recuadros.

LEGADO ARRUGA TENOR

ESPAÑOLADA REALISTAS

CULTURALISMO

1. La poesía ha evolucionado del ______ a la denominada "poesía de la experiencia".
2. En la escena española contemporánea predominan los autores ______ veteranos, el teatro comercial y el vanguardista.
3. El singular tratamiento del viejo tópico de la ______ es el rasgo más original del realizador Bigas Luna.
4. España posee un rico ______ musical popular y tradicional.
5. Plácido Domingo es un gran ______ español.
6. Adolfo Domínguez acuñó la frase: "La ______ es bella."

**4 Elija entre las frases siguientes las que considere más ajustadas a la realidad.**

A.
1. El español de España es muy uniforme. ☐
2. El español de España presenta muchas variedades dialectales. ☐

B.
1. Los nuevos autores han ocupado el espacio de los veteranos en el panorama literario español. ☐
2. Junto a los nuevos autores, los literatos veteranos continúan interesando a los lectores. ☐

C.
1. El hispanismo es un fenómeno de origen relativamente reciente. ☐
2. El auge del hispanismo dio comienzo a principios del siglo XIX. ☐

D.
1. España se encuentra entre los diez primeros países en investigación biológica y biomédica. ☐
2. España se encuentra entre los diez primeros países en investigación en las especialidades biológicas, biomédicas, matemáticas y químicas. ☐

## EL ORDEN DEL TEXTO

**1 Agrupe las palabras en la categoría que corresponda.**

paella / vinos de Jerez / diseño / Xuxo de Toro / "cante hondo" / Teresa Berganza / Ouka Lele / Bernardo Atxaga / José Hierro / Javier Mariscal

| GASTRONOMÍA | ARTES GRÁFICAS | LITERATURA | MÚSICA |
|---|---|---|---|
| | | DON QUIJOTE | |

**2 Ahora escriba frases con los elementos de cada categoría.**

............................................................................................................

............................................................................................................

............................................................................................................

............................................................................................................

**3 Forme parejas con los nombres, términos o conceptos que tengan relación entre sí.**

| | |
|---|---|
| Ribera del Duero • | • folclore |
| Institut d'Estudis Catalans • | • neoexpresionismo pictórico |
| jota aragonesa • | • vinos españoles |
| vanguardias teatrales • | • *Renaixença* |
| Miquel Barceló • | • *La Fura dels Baus* |

## LA IMAGEN DEL TEXTO

**1 A partir de esta imagen, trate de escribir un breve texto que resuma un posible argumento de la película. En él deberán figurar las cuatro palabras propuestas.**

Familia
Comedia
Matrimonio
Crisis

.......................................................................

## MÁS ALLÁ DEL TEXTO

"Las proyecciones realizadas para el año 2010 revelan, con todas las reservas necesarias, que el español podría haber llegado al final de un ciclo de expansión relativa de su número de hablantes. Consecuentemente, si el aumento de los hispanohablantes desde este final de siglo se prevé como pausado, a partir de ahora la eventual expansión del español habría de basarse en otros factores, muchos de ellos de naturaleza cualitativa, como un mayor prestigio cultural, mayor poder adquisitivo, mayor uso como segunda lengua, mayor uso como lengua de la ciencia y la tecnología o la adopción como lengua franca fuera de los países de habla hispana, entre otros. Una vez alcanzada una presencia internacional de primer orden, es el momento de promover e impulsar políticas lingüísticas encaminadas a acrecentar el prestigio cultural, científico y tecnológico de los países hispánicos y, por tanto, de la lengua española."

**(En "Demografía de la lengua española", de Francisco Moreno Fernández y Jaime Otero, en *El español en el mundo*. Madrid. Anuario del Instituto Cervantes. 1998.)**

1. Después de leer el texto, trate de elegir la opción correcta para terminar cada una de las siguientes frases.

   1. Las expectativas de crecimiento del español...
      a. hablan de un inmediato estancamiento de la población hispanoparlante.
      b. anuncian una época de enorme expansión.
      c. predicen un estancamiento en el ritmo de crecimiento de hablantes.
   2. En el año 2010 el aumento de hispanohablantes...
      a. será el mismo que en los años precedentes.
      b. no experimentará cambios significativos.
      c. experimentará un freno en el ritmo de crecimiento.
   3. Las posibilidades de crecimiento del español se basan en...
      a. fomentar una literatura y una cultura de calidad.
      b. mejorar las manifestaciones culturales asociadas con esa lengua.
      c. adoptar medidas en favor de la natalidad.

2. Resuma las tesis y argumentos del autor.

3. Subraye los párrafos o frases fundamentales y exponga su opinión sobre las cuestiones tratadas.

**B**

"Si hubiese que sustantivar aportaciones concretas de calidad y actualidad innegables realizadas, o en vías de realización, en España a la ciencia mundial, no habría dudas en lo que se refiere a un campo: el de la Bioquímica y Biología molecular (... en general las ciencias biomédicas se encuentran bastante desarrolladas). Nombres como los de Alberto Sols, Julio Rodríguez Villanueva, Angel Martín Municio, Antonio García-Bellido, David Vázquez, Margarita Salas, Eladio Viñuela o Federico Mayor Zaragoza figuran entre los que han hecho y hacen que estas disciplinas florezcan en España. Aunque existen departamentos destacados en diversas poblaciones, el más importante se encuentra en Madrid: el Centro de Biología Molecular Severo Ochoa (CBM), en el que se llevan a cabo, entre otras, investigaciones de virología molecular, genética, mecanismos de acción de antibióticos y biosíntesis de proteínas. Centro mixto del CSIC y de la Universidad Autónoma de Madrid, en cuyo campus se encuentra situado, el CBM, que tuvo en Severo Ochoa uno de sus promotores, procede en realidad del Centro de Investigaciones Biológicas del Consejo, en donde encontraron cobijo en los años 50 y 60 muchos de los jóvenes investigadores que tras obtener su licenciatura en España ampliaron durante algún tiempo estudios en laboratorios extranjeros (preferentemente estadounidenses).

Otra disciplina que también ha experimentado un avance importante, en esta ocasión desde la década de los años setenta fundamentalmente, es la Física. La Física teórica, y dentro de ella la Física de altas energías en particular, y la Física de la Materia Condensada son las ramas en las que tal avance ha sido más llamativo".

**(En "La ciencia en la España contemporánea", de José Manuel Sánchez Ron, en *España Hoy II. Cultura*. Madrid. Cátedra. 1991.)**

1. Después de leer el texto, identifique el asunto tratado y enúncielo en una frase.
2. Resuma las tesis y argumentos del autor.
3. Subraye los párrafos o frases fundamentales y destaque los principales acontecimientos que avalan la argumentación del autor.

## PROPUESTAS PARA EL DEBATE

1. Le proponemos un debate acerca de la imagen de España. Escriba en un papel tres o cuatro palabras a las que asocia la palabra "España". Compárelas con las propuestas por sus compañeros y justifique su elección.
2. Una vez realizada la primera parte, le proponemos una reflexión en torno a las siguientes cuestiones: ¿Qué manifestaciones culturales procedentes de España llegan a su país de origen? ¿Considera que afectan en algo a la imagen que allí se tiene de España?

## EN INTERNET

Si quiere estar al día de propuestas interesantes relacionadas con el español, le aconsejamos visitar la página del Instituto Cervantes y su Centro Virtual:

www.cervantes.es, www.cvc.es

# *LA ESPAÑA ANTIGUA: DE LOS ORÍGENES A LA EDAD MEDIA*

## EL TEXTO EN SU CONTEXTO

**1 Responda a las preguntas siguientes a partir de la lectura del capítulo IV.**

1. ¿Quiénes fundaron Ampurias?

   ..............................................................................................................

2. ¿Cuál era la situación de la Península Ibérica a la llegada de los romanos?

   ..............................................................................................................

3. ¿En que consistió la Romanización?

   ..............................................................................................................

4. ¿Respetaron los visigodos la ficción de la soberanía imperial romana?

   ..............................................................................................................

5. ¿Qué eran los Concilios de Toledo?

   ..............................................................................................................

6. ¿Quién fue San Isidoro de Sevilla y qué papel desempeñó durante la transición entre la Antigüedad y el Medioevo?

   ..............................................................................................................

7. ¿El reino visigodo contó con el apoyo de la mayoría de los hispanorromanos?

   ..............................................................................................................

## 2 ¿Verdadero o falso? Elija la opción correcta para cada una de las frases propuestas.

| | V | F |
|---|---|---|
| 1. Los celtas poseían avanzadas técnicas agrícolas. ______ | ☐ | ☐ |
| 2. Los iberos crearon una organización política unitaria que se extendía por las costas mediterráneas entre los Pirineos y Gibraltar. ______ | ☐ | ☐ |
| 3. El senequismo dejó una profunda huella en la cultura española. ______ | ☐ | ☐ |
| 4. Los visigodos llegaron a Hispania como auxiliares del ejército imperial romano. ______ | ☐ | ☐ |
| 5. El *Fuero Juzgo* visigodo fue una de las fuentes jurídicas más importantes del derecho medieval hispano. ______ | ☐ | ☐ |
| 6. Los reyes asturleoneses se autoproclamaron emperadores en calidad de herederos de la legitimidad visigoda. ______ | ☐ | ☐ |

## 3 Complete las frases con las palabras que aparecen en los recuadros.

CELTAS — CEREALES — ADHESIÓN — HISPANOVISIGODA — RELIGIÓN — SÉNECA

1. La cultura celtibérica surgió de la fusión de las ibéricas y de las ______________ .
2. Hispania exportaba a Roma grandes cantidades de ______________ , aceite y vino.
3. Hispania dio a la cultura latina eminentes personalidades como Adriano, Trajano y ______________ .
4. El arrianismo fue la ______________ de los visigodos hasta el año 589.
5. San Isidoro de Sevilla fue una personalidad fundamental de la cultura ______________ .
6. El reino visigodo nunca gozó de la ______________ de los hispanorromanos.

**4 Elija entre las frases siguientes las que considere más ajustadas a la realidad.**

A.
1. San Isidoro de Sevilla basó su pensamiento en la filosofía clásica. ☐
2. San Isidoro de Sevilla basó su pensamiento en el senequismo y en el agustinismo. ☐

B.
1. Como resultado de la elección de Toledo como capital del reino visigodo, comenzó a manifestarse cierta tensión entre el interior y la periferia litoral. ☐
2. Los visigodos terminaron con la tensión tradicional entre el centro peninsular y la periferia litoral. ☐

C.
1. Ortega y Gasset explicó la invertebración de España como consecuencia de la debilidad de los visigodos y de su deficiente latinización. ☐
2. Ortega y Gasset explicó la invertebración de España como resultado de la temprana sustitución del reino visigodo por el musulmán. ☐

## EL ORDEN DEL TEXTO

**1 Agrupe las palabras en la categoría que corresponda.**

Dama de Elche / Numancia / exvotos ibéricos / San Isidoro de Sevilla / Hispania Citerior / filosofía estoica / Acueducto de Segovia / Paulo Orosio / *Regnum Hispaniae*

| IBEROS | ROMANOS | VISIGODOS |
|---|---|---|
| | | |

**2 Ahora escriba frases con los elementos de cada categoría.**

..............................................................................................................

..............................................................................................................

..............................................................................................................

..............................................................................................................

**3** **Forme parejas con los nombres, términos o conceptos que tengan relación entre sí.**

| | | | |
|---|---|---|---|
| *Toros de Guisando* | • | • | San Isidoro de Sevilla |
| *Etimologías* | • | • | fenicios |
| Cádiz | • | • | celtas |
| Batalla de Alalia | • | • | cartagineses |
| Gerión | • | • | Tartessos |

## LA IMAGEN DEL TEXTO

**1** **A partir de esta imagen, trate de escribir un breve texto en el que aparezcan las palabras propuestas.**

Diosa
Belleza
Misterio

..........................................................................................................

..........................................................................................................

..........................................................................................................

..........................................................................................................

..........................................................................................................

## MÁS ALLÁ DEL TEXTO

## A

"Los romanos tardaron, pues, doscientos años en completar su conquista. Pasarían casi otros quinientos antes de que el Imperio Romano de Occidente se hundiese bajo el **ímpetu** de las llamadas "invasiones de los bárbaros". España cayó entonces en manos de los visigodos, última de una serie de tribus germánicas que venían infiltrándose en la península desde el siglo III.

Los romanos dejaron tras de sí espléndidas **calzadas** y acueductos, notables obras de arquitectura y de ingeniería. Muchas de estas obras siguen aún en pie, como el formidable acueducto de Segovia, el anfiteatro de Mérida, el gran puente sobre el Tajo en Alcántara, las ruinas de Itálica en las afueras de Sevilla y monumentos que dan testimonio de la pasada grandeza de Tarragona.

Los romanos legaron también su lengua. Y el español es, en la actualidad, gracias a su implantación en el centro y sur de América, la lengua derivada del latín que más se habla en el mundo, lengua materna de unos trescientos millones de personas. El portugués, hablado por unos ciento cincuenta millones de personas, viene en segundo lugar.

Al irrumpir los visigodos en España en el s. V, expulsados de la Galia por los francos, estaban ya considerablemente romanizados y conocían el latín. Se estima que los visigodos que entraron en España no debieron de superar los cien mil. Al igual que los hispanorromanos eran cristianos, pero, a diferencia de ellos, seguidores del **"hereje"** Arrio de Alejandría, que sostenía que Cristo no era totalmente Dios, aunque sí superior al hombre. Durante casi cien años los visigodos no se mezclaron con la población preexistente. Posteriormente, en el 589, la monarquía visigoda, que había establecido su capital en la vieja ciudad de Toledo (tras haberla instalado previamente en Sevilla), se convirtió al catolicismo. A partir de este momento la **fusión** de los visigodos con la población hispanorromana se aceleró. La cultura latina de la España visigoda fue la más floreciente de la Europa occidental de su tiempo".

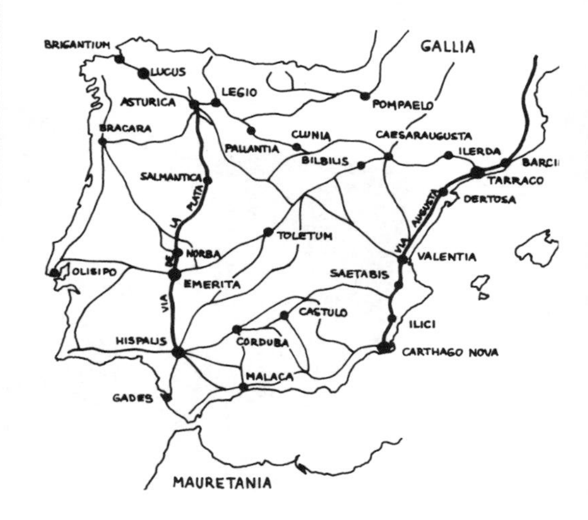


**(En *España*, de Ian Gibson. Barcelona. Ediciones B. 1992.)**

1. Relacione las siguientes definiciones con el término o la expresión adecuados que aparecen destacados en el texto.
   a. Camino ancho y pavimentado.
   b. Cristiano que en materia de doctrina religiosa se aparta de los dogmas de la Iglesia católica.
   c. Unión de dos o más cosas en una.
   d. Fuerza, energía o violencia que se demuestra al hacer algo.
2. ¿En torno a qué fecha podemos establecer el fin de la Hispania Romana? ¿Con qué acontecimiento relaciona esa caída?
3. ¿Qué subtítulo elegiría para cada uno de los párrafos de que consta el fragmento?

## B

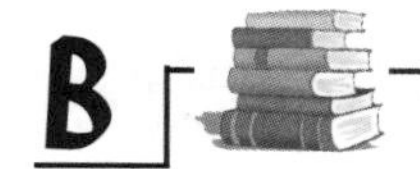

"Emporion, fundada por los focenses poco después del año 600 a. de C., se convirtió pronto en un importantísimo centro de comercio, lo que originó que los pueblos de la costa catalana se civilizaran muy pronto. Emporion no sólo comerció intensamente con los griegos (y después con los romanos), como lo indican las terracotas, las ánforas púnicas y las monedas del siglo IV a. de C. estudiadas por Beltrán, que acusan influencia de las semitas del Norte de África. En este sentido, Ullastret (...) debía competir en importancia, tanto en la etapa prerromana como a comienzos de la romanización, con Emporion. Tenía una muralla de tipo griego, y su comercio, tanto con griegos como con púnicos, a juzgar por el material arqueológico fue siempre activísimo.

En realidad, la costa catalana sufrió pronto el impacto de los pueblos colonizadores: fenicios, griegos, púnicos y romanos. Con respecto a los fenicios, J. Maluquer y miembros de su equipo científico han demostrado que ya en fecha tan temprana como los siglos VII y VI a. de C. esa costa fue visitada por ellos".

**(En *La Romanización,* de José María Blázquez. Madrid. Istmo. 1986.)**

1. Después de leer el texto, identifique el asunto tratado y enúncielo en una frase.
2. Resuma las tesis y argumentos del autor.
3. Subraye los párrafos o frases fundamentales y destaque los principales acontecimientos que avalan la argumentación del autor.

## PROPUESTAS PARA EL DEBATE

1. ¿Cuál es su imagen de la Prehistoria?, ¿qué elementos relaciona con las culturas primitivas? Compárelo con las páginas de Internet que se proponen en el siguiente apartado.
2. ¿Qué podría decir de la Antigüedad de su país? Contraste esa información con lo que sabe ahora de la historia antigua de España.

## EN INTERNET

Le recomendamos acercarse a los yacimientos de Atapuerca, Burgos, en www.atapuerca.net/ y www.geocities.com/sierraatapuerca/visitas.html para conocer este lugar declarado Patrimonio de la Humanidad en el año 2000.

# LA ESPAÑA DE LAS TRES CULTURAS: SIGLOS VIII-XV

## EL TEXTO EN SU CONTEXTO

**1 Responda a las preguntas siguientes a partir de la lectura del capítulo V.**

1. ¿Las diferencias religiosas dificultaron las relaciones entre los hispanorromanos y los musulmanes?

   ..........................................................................................................

2. ¿Por qué se llama hispanomusulmán a lo andalusí?

   ..........................................................................................................

3. ¿Los cristianos medievales hispanos tuvieron conciencia de la unidad moral de España y de España como realidad histórica?

   ..........................................................................................................

4. ¿Cuáles han sido las consecuencias históricas de la pluralidad política y cultural de la España medieval?

   ..........................................................................................................

5. ¿Qué papel desempeñó el Camino de Santiago en la España medieval?

   ..........................................................................................................

6. ¿Existió verdadero feudalismo en la España medieval?

   ..........................................................................................................

## 2 ¿Verdadero o falso? Elija la opción correcta para cada una de las frases propuestas.

| | V | F |
|---|---|---|
| 1. Los beréberes islamizados fueron el sector social más numeroso de Al Ándalus. | ☐ | ☐ |
| 2. Los señoríos y las desamortizaciones fueron el origen de los latifundios. | ☐ | ☐ |
| 3. El auge de la trashumancia se debió más a su adaptación a la climatología del centro peninsular que a las circunstancias políticas y bélicas de la época. | ☐ | ☐ |
| 4. La dramaturgia tuvo un gran desarrollo en el área catalanohablante. | ☐ | ☐ |
| 5. El románico fue el estilo de la naciente burguesía. | ☐ | ☐ |
| 6. El gótico fue el estilo de la sociedad señorial y del monacato. | ☐ | ☐ |
| 7. El Pórtico de la Gloria de la catedral de Santiago de Compostela es el conjunto más importante de la escultura románica. | ☐ | ☐ |

## 3 Complete las frases con las palabras que aparecen en los recuadros.

ECLECTICISMO · PALABRAS · NAZARÍ · POEMA · XII · MOZÁRABE · GERMÁNICOS

1. La música andalusí permanece viva en el Magreb, donde se la conoce con los nombres de "______________ de Granada" y de "canto andaluz".
2. La población cristiana de Al Ándalus recibía el nombre de ______________ .
3. El cantar de gesta más antiguo que se conserva es el ______________ *de Mío Cid.*
4. La Escuela Catalana de Filosofía se ha distinguido siempre por su ______________ , moderación y pragmatismo.
5. Las primeras universidades españolas se fundaron a comienzos del siglo ______________ .
6. El arte románico fusionó elementos romanos, ______________ y orientales.
7. En el Alcázar de Sevilla se fusionan los estilos renacentista y ______________ .

**4** **Elija entre las frases siguientes las que considere más ajustadas a la realidad.**

*A.*
1. La tradición mudéjar ha pervivido en la mayoría de las manifestaciones artísticas españolas. ☐
2. La tradición mudéjar ha pervivido en algunas tradiciones artesanales y de las artes industriales españolas. ☐

*B.*
1. En la Escuela de Traductores de Toledo se traducían al latín y al castellano obras de autores clásicos, árabes y judíos. ☐
2. En la Escuela de Traductores de Toledo se traducían al hebreo y al castellano obras de autores árabes y judíos. ☐

## EL ORDEN DEL TEXTO

**1** **Agrupe las palabras en la categoría que corresponda.**

León Hebreo / literatura aljamiada / unidad de fe religiosa / poesía épica / trovadores / liturgia visigótica / estilo mudéjar / Camino de Santiago / Salón del Tinell

| LITERATURA | RELIGIÓN | ARTE |
|---|---|---|
| DON QUIJOTE | | |

**2** **Ahora escriba frases con los miembros de cada categoría.**

..............................................................................................................

..............................................................................................................

..............................................................................................................

..............................................................................................................

**3** **Forme parejas con los nombres, términos o conceptos que tengan relación entre sí.**

| | |
|---|---|
| *Auto de los Reyes Magos* • | • Alfonso X el Sabio |
| Maimónides • | • España de las tres culturas |
| *Las Partidas* • | • teatro medieval |
| *Jarchas* • | • intento de conciliar razón y fe |
| cristianos, musulmanes y judíos • | • lírica popular castellana |

## LA IMAGEN DEL TEXTO

**1** **A partir de esta imagen, trate de escribir un breve texto en el que aparezcan las palabras propuestas.**

***Religión***
***Románico***
***Arte***

..........................................

..........................................

..........................................

..........................................

..........................................

..........................................

## MÁS ALLÁ DEL TEXTO

"A pesar del cantonalismo en el que se debatieron los Estados hispano-cristianos en los primeros tiempos de la Reconquista, algunos "intentos aglutinadores" se produjeron desde fecha muy temprana.

El reino de Asturias fue el más madrugador. Fueron significativas las acciones de Alfonso II en pro de la restauración de las instituciones visigodas: **unción** real, ceremonial palatino, *Liber Iudiciorum* como base del aparato legislativo, nueva capitalidad del reino -Oviedo- convertida en sede de las primeras manifestaciones arquitectónicas importantes de la España cristiana como San Julián de los Prados... En último término, la conservación del **sepulcro** del Apóstol Santiago dará a la monarquía astur y a sus sucesoras de León y Castilla una preeminencia espiritual sobre los Estados vecinos. El neogoticismo se presentaba así "como un programa o anuncio de restauración total de la Península".

Tal ideal se continuará con la **traslación** de la capitalidad a la urbe leonesa. Menéndez Pidal ha hablado con insistencia del "Imperio hispánico" del que se hicieron protagonistas los monarcas astur-leoneses desde principios del siglo X. A Ordoño II se le llamará en la *Crónica najerense "imperator legionensis"*(1). Ramiro II fue llamado *imperator* (2) y *basileus* (3). Expresiones a través de las cuales la monarquía leonesa trata de ratificar su **supremacía** política sobre los núcleos de resistencia pirenaicos".

*Notas:*
*(1)* imperator legionensis: *emperador de los leoneses*
*(2)* imperator: *emperador*
*(3)* basileus: *rey*

**(En *La España Medieval. Sociedades. Estados. Culturas,* de Emilio Mitre. Madrid. Istmo. 1984.)**

1. Relacione las siguientes definiciones con el término o la expresión adecuados del texto.

   a. En un altar, el espacio reservado para depositar las reliquias del muerto y que luego se cubre y se cierra.
   b. Cambio de un lugar a otro.
   c. Aplicación de un líquido graso, generalmente aceite o perfume, sobre una superficie o también sobre una persona.
   d. Estado o situación en el que una institución o persona ocupa el grado supremo o más alto respecto a otra.

2. ¿A qué suceso histórico asocia las aspiraciones de unificar los dispersos reinos cristianos? ¿En torno a qué núcleo se fijaron dichas aspiraciones?

3. ¿Qué subtítulo elegiría para cada uno de los párrafos de que consta el fragmento?

B 

"En el califato cordobés, cuando, tras una larga etapa de trastornos, revueltas y destrucciones en las que pereció casi por entero la tradición isidoriana (la casi totalidad de los códices de las *Etimologías* se conservaron en monasterios extranjeros, no españoles) empezó a perfilarse la España de las Tres Culturas: la arábigo-musulmana, la cristiana, muy empobrecida en el interior del Califato pero con un futuro auspiciado por su vinculación al resto de Europa en los reinos del norte, y la hebraica, sobre la que hay que hacer una aclaración previa: tanto la árabe como la cristiana, aunque se formularan en términos religiosos, tenían un contenido cultural profano, con lejanas raíces comunes y posteriores desarrollos autónomos. Pero la cultura hebraica era de corte exclusivamente religioso, con los aditamentos jurídicos correspondientes (...). Carecía, además, de marco político; sus comunidades (aljamas) tenían una autonomía tolerada por los dominantes. Pero mientras hubo estados cristianos, estados árabes e incluso, transitoriamente, pequeños estados berberiscos, no hubo ningún estado judío, lo que acarreó limitaciones considerables, incluso en el ámbito cultural".

**(En "Las Tres Culturas en la Historia de España", de Antonio Domínguez Ortiz, en *Reflexiones sobre el ser de España*. Madrid. Real Academia de la Historia. 1997.)**

1. Después de leer el texto, identifique el asunto tratado y enúncielo en una frase.

2. Resuma las tesis y argumentos del autor.

3. Subraye los párrafos o frases fundamentales y destaque los principales acontecimientos que avalan la argumentación del autor.

## PROPUESTAS PARA EL DEBATE

1. En función del contenido de los capítulos anteriores, ¿en torno a qué acontecimientos o factores históricos considera que se gestó el origen de lo que hoy se llama España?

2. Después de responder a la pregunta anterior, ¿cree que existen diferencias decisivas en el origen de España y de su país? Enumere las que considere más importantes.

### EN INTERNET

Le proponemos conocer algo más sobre el camino de Santiago:

www.cvc.cervantes/actcult/camino-santiago/

# *LOS REYES CATÓLICOS: LA "RESTAURACIÓN DE ESPAÑA"*

## EL TEXTO EN SU CONTEXTO

**1 Responda a las preguntas siguientes a partir de la lectura del capítulo VI.**

1. ¿Cuándo nació España como realidad política?

......................................................................................................................

2. ¿En qué consistió el sistema político confederal instituido por los Reyes Católicos?

......................................................................................................................

3. ¿Qué factores impulsaron a los españoles a acometer la empresa ultramarina?

......................................................................................................................

4. ¿Qué factores motivaron la ruptura de la convivencia pacífica entre los tres pueblos del Medioevo hispano?

......................................................................................................................

5. ¿Quiénes eran los cristianos viejos y quiénes los nuevos o conversos?

......................................................................................................................

6. ¿A que obedeció la creación de la Inquisición?

......................................................................................................................

7. ¿En qué consisten los romances?

......................................................................................................................

8. Enumere algunos elementos medievales presentes en *La Celestina.*

......................................................................................................................

## 2 ¿Verdadero o falso? Elija la opción correcta para cada una de las frases propuestas.

| | V | F |
|---|---|---|
| 1. Los pensadores, influidos por el espíritu humanístico-renacentista, comenzaron a diferenciar entre lo sagrado y lo profano. | ☐ | ☐ |
| 2. Juan del Enzina creó la corriente dramática que haría del teatro un género autónomo. | ☐ | ☐ |
| 3. Los romances son composiciones en prosa poética de carácter amoroso. | ☐ | ☐ |
| 4. *La Celestina* es una novela relacionada con los libros de caballería. | ☐ | ☐ |
| 5. Los escultores y pintores de la época de los Reyes Católicos dudaban entre goticismo e italianismo. | ☐ | ☐ |
| 6. Los ideales políticos del Renacimiento reforzaron el viejo ideal de la "Restauración de España". | ☐ | ☐ |

## 3 Complete las frases con las palabras que aparecen en los recuadros.

CABALLERÍAS — RELIGIOSA — RENACIMIENTO — ROMANCES — PODER — GRACIÁN

1. La extensión de la Inquisición a todos los reinos de la Corona le confirió gran ______________ y notoriedad.
2. Los descendientes de los conversos dieron a España nombres tan relevantes como Cervantes, Santa Teresa de Jesús y ______________ .
3. Para los cristianos viejos, la unidad política no podía completarse hasta conseguir la ______________ .
4. *La Celestina* es la obra cumbre de la transición entre el Medioevo y el __________.
5. La tradición épica de los cantares de gesta continuó con los ______________.
6. La mejor creación en prosa catalana durante el siglo XV fue la novela de __________ *Tirant lo Blanc.*

**4** **Elija entre las frases siguientes las que considere más ajustadas a la realidad.**

*A.*

1. Las crisis bajomedievales tuvieron su origen en la desfavorable coyuntura económica y en las epidemias de peste negra. ☐
2. Las crisis bajomedievales tuvieron su origen en el atractivo panorama espiritual de la época. ☐

*B.*

1. Los monarcas se apoyaron en la burguesía para debilitar a la nobleza prepotente. ☐
2. Los monarcas se apoyaron en la nobleza para debilitar a la burguesía emergente. ☐

*C.*

1. Concluida la Reconquista, los pueblos hispanos aspiraban a continuar la expansión por el Océano Atlántico. ☐
2. Concluida la Reconquista, los reinos hispanos se dispusieron a continuarla por el norte de África. ☐

## EL ORDEN DEL TEXTO

**1** **Agrupe las palabras en la categoría que corresponda.**

alcabala / hermandades / moriscos / expulsión de los judíos / "amor cortés" / romances / género celestinesco / estilo Isabel o Reyes Católicos / Pedro de Berruguete

| LITERATURA | ARTE | SOCIEDAD |
|---|---|---|
| | | |

**2** **Ahora escriba frases con los elementos de cada categoría.**

..............................................................................................................

..............................................................................................................

..............................................................................................................

..............................................................................................................

**3** **Forme parejas con los nombres, términos o conceptos que tengan relación entre sí.**

| | |
|---|---|
| Payeses de remensa • | • Cristianos nuevos |
| Jorge Manrique • | • Universidad de Alcalá de Henares |
| Cardenal Cisneros • | • *Cárcel de Amor* |
| Conversos • | • *Coplas a la muerte de su padre* |
| Diego de San Pedro • | • Sentencia Arbitral de Guadalupe |

## LA IMAGEN DEL TEXTO

**1** **A partir de esta imagen, trate de escribir un breve texto en el que aparezcan las palabras propuestas.**

Amor
Erotismo
Tragedia

..........................................................

..........................................................

..........................................................

..........................................................

..........................................................

## MÁS ALLÁ DEL TEXTO

### A

"El reinado de Isabel I de Castilla y Fernando II de Aragón (V de Castilla), conocidos por "Reyes Católicos", señala en España el paso de la Edad Media a la Moderna. En ese reinado conjunto se llega a la unificación dinástica de las coronas de Castilla y de Aragón, haciendo posible la ulterior conquista de Granada (1492) y la vinculación de Navarra (1512), con lo cual se unen cuatro de los cinco reinos hispánicos, a la vez que se realiza una política matrimonial de gran agudeza para reincorporar el quinto reino (Portugal) y obtener la plena unificación de los Estados peninsulares. En muchos aspectos el reinado de los Reyes Católicos es aún medieval mas en otros es ya plenamente "renacentista" o "moderno": en él se armonizan lo viejo y lo nuevo, proporcionando a España la fisonomía que, como nación, tendrá en la época que se inicia".

**(En *Lecciones de Historia Medieval,* de Manuel Ríu. Barcelona. Teide. 1982.)**

1. Después de leer el texto, identifique el asunto tratado y enúncielo en una frase.
2. Resuma las tesis y argumentos del autor.
3. Subraye los párrafos o frases fundamentales y destaque los principales acontecimientos que avalan la argumentación del autor.

### B

"La fogosa oratoria de San Vicente Ferrer determinó la **conversión**, más o menos auténtica, de muchos millares de hebreos (...). Las crecientes dificultades y **cortapisas** que se ponían a los judíos para desarrollar sus actividades tradicionales (prohibición de arrendar rentas reales, de emplear sirvientes cristianos, a veces también de ofrecer servicios médicos y farmacéuticos) actuaban en el mismo sentido: las **aljamas** se debilitaban, las juderías se vaciaban y sus antiguos moradores, dotados ya de la plenitud de derechos por el bautismo, desbordando sus profesiones tradicionales, lo invadían todo, incluso los altos cargos eclesiásticos (....).

Así nació el problema converso; porque si odiados eran los judíos, no lo fueron menos los que ahora aparecían con más prepotencia escudados con el nombre de cristianos. Se les acusaba de haberse hecho bautizar por razones de mera conveniencia, y en muchos casos es innegable que así fue. En otros casos parece indudable la sinceridad de su conversión, y en no pocos, ni los mismos interesados acertarían a ver claro en sus sentimientos. Fue la parte más elevada de la comunidad judía la que mostró menos repugnancia al abandono de la antigua fe; esta porción más culta y rica era también, en muchos sentidos, la más corrompida y la menos creyente; su lujo insultante, su dureza de corazón no herían menos a sus propios **correligionarios** que a los cristianos".

**(En *Los judeoconversos en España y América*, de Antonio Domínguez Ortiz. Madrid. Istmo. 1988.)**

1. Relacione las siguientes definiciones con el término o la expresión adecuados del texto.

   a. Persona que comparte las mismas ideas o que está en el mismo partido que otra.
   b. Asumir una creencia, religión o ideología que antes no se tenía.
   c. Obstáculo o dificultad para hacer algo.
   d. Barrio habitado en su mayoría por musulmanes.

2. Según el texto, ¿qué pudo provocar la antipatía hacia los judíos en la España de la época? ¿Qué sector de la población judía supo adaptarse mejor a la nueva situación?

3. ¿Qué subtítulo elegiría para cada uno de los párrafos de que consta el fragmento?

## PROPUESTAS PARA EL DEBATE

1. Destaque los rasgos de modernidad que comienzan a manifestarse durante el reinado de los Reyes Católicos.

2. Relacione el fin de la Reconquista con el comienzo de la empresa ultramarina.

## EN INTERNET

Si quiere conocer algo más acerca de la verdadera historia de la Inquisición española, puede consultar:

www.pachami.com/inquisicion/

# *EL SIGLO XVI: LA MODERNIDAD RENACENTISTA*

## EL TEXTO EN SU CONTEXTO

**1 Responda a las preguntas siguientes a partir de la lectura del capítulo VII.**

1. ¿El confederalismo español respondía al modelo del Estado Moderno?

..........................................................................................

2. ¿En qué consistía el ideal imperial carolino defendido por los españoles?

..........................................................................................

3. ¿Se aplicaron en España los principios del mercantilismo?

..........................................................................................

4. ¿Qué explicación dieron los arbitristas a los problemas del país?

..........................................................................................

5. ¿Qué factores favorecieron el nacimiento de la corriente médico filosófica?

..........................................................................................

6. ¿En qué consistió la polémica de los "justos títulos"?

..........................................................................................

7. ¿Cuál fue el papel de España en la Contrarreforma?

..........................................................................................

## 2 ¿Verdadero o falso? Elija la opción correcta para cada una de las frases propuestas.

| | V | F |
|---|---|---|
| 1. *La Lozana Andaluza* es una curiosa novela de carácter erótico sin muchos precedentes en la novelística española. ______ | ☐ | ☐ |
| 2. Garcilaso de la Vega creó una corriente de poesía amorosa culta que tuvo corta duración en el tiempo. ______ | ☐ | ☐ |
| 3. El lenguaje literario de Santa Teresa de Jesús se caracteriza por su complicación conceptual y por sus cultismos. ______ | ☐ | ☐ |
| 4. La poesía de San Juan de la Cruz posee un alto contenido místico-teológico. ______ | ☐ | ☐ |
| 5. Los artistas renacentistas recuperaron los ideales clásicos de la belleza, la armonía y el equilibrio. ______ | ☐ | ☐ |
| 6. La música española del Renacimiento no estuvo a la altura de las demás artes. ______ | ☐ | ☐ |

## 3 Complete las frases con las palabras que aparecen en los recuadros.

UTOPÍA — SUBJETIVA — MONASTERIO — SOBRIEDAD — ETERNIDAD

1. La obra literaria de San Juan de la Cruz gira en torno a la metáfora entre el amor divino y la ______ .
2. Los juicios y opiniones de los cronistas de Indias son una interpretación ______ de la realidad objetiva.
3. En la obra literaria de Fray Luis de León alientan la ______ de la vida natural y el sentimiento de la armonía universal y de la belleza como obras divinas.
4. Los rasgos fundamentales del clasicismo arquitectónico son la distribución racional del espacio, la ______ decorativa, el equilibrio en las proporciones y la monumentalidad.
5. La obra suprema del clasicismo español es el ______ de San Lorenzo de El Escorial.

**4 Elija entre las frases siguientes las que considere más ajustadas a la realidad.**

**A.**
1. Juan de Mariana afirmó el derecho de los gobernados a destituir al mal gobernante. ☐
2. Juan de Mariana justificó el tiranicidio. ☐

**B.**
1. Los teólogos juristas rechazaron la razón de Estado por ser contraria a la moral cristiana. ☐
2. Los teólogos juristas admitieron la razón de Estado a pesar de ser contraria a la moral cristiana. ☐

**C.**
1. El descubrimiento de América estimuló el desarrollo de la ciencia experimental. ☐
2. El descubrimiento de América estimuló el desarrollo del pensamiento abstracto. ☐

## EL ORDEN DEL TEXTO

**1 Agrupe las palabras en la categoría que corresponda.**

confederalismo / arbitristas / centralismo / "revolución de los precios" / Compañía de Jesús / Luis Vives / invención de la imprenta / razón de Estado

| ADMINISTRACIÓN DEL ESTADO | ECONOMÍA | CULTURA |
|---|---|---|
| | | |

**2 Ahora escriba frases con los elementos de cada categoría.**

.................................................................................................

.................................................................................................

.................................................................................................

.................................................................................................

**3** **Forme parejas con los nombres, términos o conceptos que tengan relación entre sí.**

| | |
|---|---|
| Literatura espiritual • | • El Salvador de Úbeda |
| Polémica sobre la libertad humana • | • Fray Luis de León |
| Novela pastoril • | • Fray Luis de Granada |
| *Vida Retirada* • | • Luis de Molina |
| Clasicismo italianista • | • Jorge de Montemayor |

## LA IMAGEN DEL TEXTO

**1** **A partir de esta imagen, trate de escribir un breve texto en el que aparezcan las palabras propuestas.**

Religión
Mística
Espíritu

..........................................
..........................................
..........................................
..........................................
..........................................
..........................................

## MÁS ALLÁ DEL TEXTO

# A 

"La España de los Austrias no tiene unidad política. Constituye un conjunto de territorios (reinos, condados, principados, señoríos) en el cual cada componente conserva su fisonomía propia (instituciones, leyes, régimen fiscal, moneda, aduanas, lengua...). El soberano es al mismo tiempo rey de Castilla, de Aragón, de Valencia, conde de Barcelona, etc. Todos estos territorios han ido uniéndose por vía de sucesión: son bienes patrimoniales que el soberano recibe de sus padres y transmite a sus hijos y sucesores. En 1516, la monarquía comprende dos grandes espacios:
- la Corona de Castilla: reinos castellanos propiamente dichos (Castilla, León, Toledo, Murcia, Córdoba, Sevilla, Granada...), el reino de Navarra, las provincias vascongadas y las Indias (con dos virreinatos: Nueva España -México- y Perú, con sede en Lima); - la Corona de Aragón: reinos de Aragón y Valencia, principado de Cataluña, más los territorios de Baleares, y el reino de Nápoles y Sicilia.

En 1580, Felipe II recibe la corona de Portugal, vacante por la desaparición sin heredero del rey don Sebastián. Portugal quedará así unido a la monarquía católica hasta 1640. Consecuentemente el imperio colonial portugués pasa también a formar parte, en 1580, de los dominios de Felipe II.

A este patrimonio esencialmente peninsular Carlos V añade, en 1516, el legado borgoñón (Flandes y el Franco-Condado) y, en 1519, la dignidad imperial y feudos patrimoniales de los Habsburgo en Alemania y Austria. Al abdicar, en 1556, Carlos V divide la herencia en dos partes. Cede a su hermano Fernando la dignidad imperial y los estados patrimoniales de los Habsburgo -con la excepción de Flandes y el Franco-Condado- y lega a su hijo Felipe las coronas de Castilla y Aragón, junto con Flandes y el Franco-Condado".

**(En *La España del siglo XVI*, de Joseph Pérez. Madrid. Anaya. 1998.)**

1. Después de leer el texto, trate de elegir la opción correcta para terminar cada una de las siguientes frases.

   1. En la monarquía española de los Austrias...
      a. cada territorio tiene su propio soberano que respeta las peculiaridades de su entorno.
      b. hay un único soberano que gobierna territorios muy dispares.
      c. los reyes de Castilla, Aragón, Valencia, etc. tratan de unirse por vía de sucesión.

   2. La monarquía hispánica estaba integrada a principios del siglo XVI por...
      a. toda la Península Ibérica y los territorios de ultramar.
      b. las dos coronas principales junto con los territorios de la expansión.
      c. los reinos de Castilla, Aragón, Nuevo México, Perú y Nápoles.

3. La abdicación de Carlos V en 1556 supuso...
   a. la integración de Portugal en la corona española.
   b. la inclusión del legado borgoñón y de los feudos de los Habsburgo.
   c. la salida del Imperio español de los feudos de los Habsburgo.

2. Señale en el mapa de la página 65 de *Imágenes de España* los territorios que pertenecían a la Corona española bajo el reinado de Carlos V.

3. Resuma en un cuadro cronológico los principales acontecimientos relacionados con la monarquía española bajo los reinados de Carlos V y Felipe II.

"El filósofo más importante y representativo del erasmismo español es, sin lugar a dudas, Luis Vives (Valencia, 1492 – Brujas, 1540), en quien se reflejan arquetípicamente las actitudes más características del Renacimiento: la crítica de la autoridad, la preocupación por el hombre, la vuelta a las fuentes clásicas, la atención prestada a la observación y la experiencia, la curiosidad por las novedades... Su invocación de Cristo como imagen de una humanidad que ha llegado a la concordia más perfecta entre todos los hombres y entre Dios y el hombre, su prédica de la paz, sus proclamas antiimperialistas, todo ello indica claramente que ese renacentismo tenía un origen erasmista (...)".

**(En *Historia del pensamiento español, de Séneca a nuestros días,* de José Luis Abellán. Madrid. Espasa. 1996.)**

1. Después de leer el texto, identifique el asunto tratado y enúncielo en una frase.

2. Resuma las tesis y argumentos del autor.

3. Subraye los párrafos o frases fundamentales y destaque los principales acontecimientos que avalan la argumentación del autor.

## PROPUESTAS PARA EL DEBATE

1. Ya conoce algunos datos acerca de la importancia de la Iglesia católica en la sociedad española del siglo XVI. Le planteamos ahora un trabajo de análisis. ¿Cuál es, en su opinión, el papel que desempeña o puede desempeñar la Iglesia católica en la actualidad?, ¿en qué medida cree que puede pervivir su influencia en la sociedad?

## EN INTERNET

¿Quiere saber algo más sobre el emperador Carlos V o sobre el reinado de Felipe II? Le invitamos a que consulte la página www.felipe2carlos5.es, donde la Sociedad Estatal para la Conmemoración del Quinto Centenario de ambos monarcas ofrece más información y un interesante material gráfico.

# EL SIGLO XVII: CRISIS Y BARROCO

## EL TEXTO EN SU CONTEXTO

**1 Responda a las preguntas siguientes a partir de la lectura del capítulo VIII.**

1. ¿Cuál fue el resultado de los intentos centralizadores del conde-duque de Olivares?

   ..........................................................................................................

2. ¿Qué factores movieron a la Corona española a decretar la expulsión de los moriscos?

   ..........................................................................................................

3. ¿Existió alguna relación entre inflación y llegada masiva de metales preciosos americanos?

   ..........................................................................................................

4. ¿Qué circunstancias sociales propiciaron el pesimismo barroco y la aparición del "problema de España"?

   ..........................................................................................................

5. ¿Qué tienen en común el culteranismo y el conceptismo?

   ..........................................................................................................

6. ¿Cuáles fueron las creaciones más originales de la dramaturgia barroca?

   ..........................................................................................................

7. ¿Qué era el quijotismo para Unamuno?

   ..........................................................................................................

## 2 ¿Verdadero o falso? Elija la opción correcta para cada una de las frases propuestas.

| | V | F |
|---|---|---|
| 1. Felipe II rechazó la propuesta de los portugueses para que sus territorios y colonias fueran defendidos por la monarquía española. | ☐ | ☐ |
| 2. La inflación obligó a otorgar a las monedas valores nominales superiores a su valor real. | ☐ | ☐ |
| 3. Del sentimiento barroco de fugacidad de la vida se derivó una intensa obsesión por la búsqueda del placer mundano. | ☐ | ☐ |
| 4. El sentimiento barroco del honor fue una simple convención social. | ☐ | ☐ |
| 5. Los tácitos coincidían con Maquiavelo en la valoración del éxito político como resultado más de la habilidad del gobernante que de sus virtudes morales. | ☐ | ☐ |

## 3 Complete las frases con las palabras que aparecen en los recuadros.

FIELES — CONTEMPLACIÓN — CARENCIA — FÍSICAS — HIDALGUÍA — FRAGILIDAD

1. La crisis política puso en evidencia la ____________ de la organización confederal.
2. Arruinada por la crisis, la burguesía aspiró a conseguir la ____________ para así librarse del pago de impuestos.
3. Para Miguel de Molinos, el mejor camino para alcanzar la perfección y la unión con Dios eran la ____________ y el olvido de la conciencia individual.
4. Francisco de Quevedo atribuyó los "males de la patria" a la ____________ de hombres decididos y a los enemigos extranjeros.
5. Los novatores propugnaron el estudio de las ciencias ____________ .
6. El barroco fue el lenguaje artístico del que se sirvió la Contrarreforma para impresionar a los ____________ .

## 4 Elija entre las frases siguientes las que considere más ajustadas a la realidad.

**A.**

1. Los proyectos del conde-duque de Olivares fueron aceptados por los catalanes y portugueses, que se consideraban beneficiados por los mismos. ☐
2. Los proyectos del conde-duque de Olivares fueron rechazados por los catalanes y portugueses, que no se consideraban implicados en los problemas de la monarquía. ☐

**B.**

1. La expulsión de las minorías étnico-religiosas obedeció a razones de carácter económico. ☐
2. La expulsión de las minorías étnico-religiosas fue consecuencia de la identificación entre razón de Estado y unidad de fe religiosa. ☐

**C.**

1. La pintura de Velázquez es un gran ejemplo del academicismo naturalista. ☐
2. La pintura de Velázquez es un gran ejemplo de exuberancia y decorativismo barrocos. ☐

# EL ORDEN DEL TEXTO

## 1 Agrupe las siguientes palabras en la categoría correspondiente.

Conde-duque de Olivares / suspensión de pagos / "oficios viles" / pesimismo barroco / "lavar el honor" / "problema de España" / novatores / culteranismo / personaje de Don Juan / género picaresco / Francisco de Zurbarán / quijotismo / Valdés Leal

| CULTURA | POLÍTICA | ECONOMÍA | ARTE |
|---|---|---|---|
| | | | |

## 2 Ahora escriba frases con los elementos de cada categoría.

..........................................................................................

..........................................................................................

..........................................................................................

..........................................................................................

**3** **Forme parejas con los nombres, términos o conceptos que tengan relación entre sí.**

| | | |
|---|---|---|
| Miguel de Cervantes | • | • *Novelas Ejemplares* |
| Baltasar Gracián | • | • imaginería en madera policromada |
| hidalgos | • | • "Iglesia o casa real o mar" |
| "Regia Sociedad de Medicina y Ciencias de Sevilla" | • | • *El Criticón* |
| Gregorio Fernández | • | • churrigueresco |
| Pedro de Ribera | • | • novatores |

## LA IMAGEN DEL TEXTO

**1** **A partir de esta imagen, trate de escribir un breve texto en el que aparezcan las palabras propuestas.**

Realidad
Locura
Juego
Ficción

........................................
........................................
........................................
........................................
........................................

## MÁS ALLÁ DEL TEXTO

A 

"Dentro de la vida histórica de España encontramos el sentido barroco de las cosas en el concepto de "Estado misional" (Rodríguez Casado) que ahora se consagra. Los ideales que España proclama -oficial u oficiosamente- son en sustancia los mismos que en el siglo anterior: con la diferencia de que ahora se considera la defensa de esos ideales como la "misión", la razón de ser de España en el mundo. Y se los proclama, además, de una forma enfática y solemne, acorde con el espíritu de la nueva época. De ahí que alguien haya colocado equivocadamente en el barroco la aparición de unos ideales que ya estaban tácitamente impresos en la conciencia española desde cien años antes; sólo que los españoles del siglo XVI no se sentían obligados a pregonarlos a los cuatro vientos, como hicieron los del siglo XVII.

Enraizado en el espíritu del barroco se encuentra también un exacerbado sentido del honor, que alcanza en ocasiones tal grado de sensibilidad, que a nuestra mentalidad de hoy puede parecernos caricaturesco...".

**(En *Historia de España Moderna y Contemporánea,* de José Luis Comellas. Madrid. Rialp. 1967.)**

1. Después de leer el texto, trate de elegir la opción correcta para terminar cada una de las siguientes frases.

   1. Podemos considerar el "Estado Misional" como...
      a. la manera oficiosa con la que se alude a la presencia de la Iglesia en la vida política española.
      b. la denominación que recibe la función de la monarquía española en América.
      c. la traducción política de los ideales de la España barroca.

   2. ¿Cuál es la novedad que aporta el Barroco en la defensa de los tradicionales ideales españoles?
      a. La recuperación de los ideales característicos del Renacimiento.
      b. El reforzamiento de los mismos.
      c. Su internacionalización.

   3. El sentido del honor puede considerarse...
      a. una versión caricaturesca de los ideales de la España barroca.
      b. una de las expresiones más genuinas del espíritu barroco.
      c. una muestra del espíritu barroco que pervive en la actualidad.

2. ¿Cuál de las siguientes imágenes representa mejor el ideal de la España barroca? Justifique su respuesta.

a

b

c

3. Coloque un título que resuma el contenido del texto.

"El Barroco es el estilo de unas sociedades en crisis o en vía de mutación. Sus formas más exasperadas corresponden lógicamente a los países cuyas tensiones vitales e históricas se encuentran en la fase más aguda. La estética barroca es, al mismo tiempo, la que mejor corresponde a la voluntad postridentina de difundir el dogma católico mediante elementos formales susceptibles de impresionar la sensibilidad del creyente más que su razón. En la encrucijada de todas las tendencias citadas, el Barroco español llegará a identificarse con una de las épocas más densas de la cultura nacional".

**(En *Historia de la literatura española en su contexto.* Madrid. Playor. 1987.)**

1. Después de leer el texto, identifique el asunto tratado y enúncielo en una frase.
2. Resuma las tesis y argumentos del autor.
3. Subraye los párrafos o frases fundamentales y destaque los principales acontecimientos que avalan la argumentación del autor.

## PROPUESTAS PARA EL DEBATE

1. Relacione unidad de fe católica con razón de Estado y expulsión de los moriscos.
2. Relacione crisis y novela picaresca, contrarreformismo y autos sacramentales.

## EN INTERNET

Le proponemos una visita al Museo del Prado para conocer más acerca de su creación y las obras que expone:

http://www.museoprado.mcu.es/

# *EL SIGLO XVIII: REFORMISMO ILUSTRADO*

## EL TEXTO EN SU CONTEXTO

**1 Responda a las preguntas siguientes a partir de la lectura del capítulo IX.**

1. ¿Cuál fue la principal consecuencia político-administrativa de la llegada al trono de Felipe V?

   ..................................................................................................

2. ¿En qué fuerza social se apoyaron los déspotas ilustrados?

   ..................................................................................................

3. ¿De qué signo fue la política económica aplicada por los reformistas ilustrados?

   ..................................................................................................

4. ¿Qué objetivos perseguían los reformistas?

   ..................................................................................................

5. ¿En qué consistían las Sociedades Económicas de Amigos del País?

   ..................................................................................................

6. ¿Por qué se frenaron las reformas a finales del siglo XVIII?

   ..................................................................................................

7. ¿Cómo surgieron las "dos Españas"?

   ..................................................................................................

8. ¿Quiénes eran los proyectistas?

   ..................................................................................................

## 2 ¿Verdadero o falso? Elija la opción correcta para cada una de las frases propuestas.

| | V | F |
|---|---|---|
| 1. Los ilustrados eran racionalistas y experimentalistas. ______ | ☐ | ☐ |
| 2. Los jansenistas se oponían a la intervención de los estados en las cuestiones eclesiásticas. ______ | ☐ | ☐ |
| 3. El enfrentamiento entre casticistas y reformistas no tuvo especial relevancia histórica. ______ | ☐ | ☐ |
| 4. Los casticistas se opusieron a quienes negaban la existencia de una ciencia y de una filosofía españolas. ______ | ☐ | ☐ |
| 5. Para los reformistas, la poesía tenía como misión deleitar y ejercitar la imaginación. ______ | ☐ | ☐ |
| 6. José María Blanco White defendió tesis casticistas. ______ | ☐ | ☐ |

## 3 Complete las frases con las palabras que aparecen en los recuadros.

PRENSA — ADUANAS — PINTURA — REACCIÓN — CASTICISTAS — DIFUSIÓN — UNIFICACIÓN

1. Felipe V abolió las ______________ interiores y Carlos III estableció la libertad de comercio.
2. En el País Vasco y Navarra no se llevó a cabo la ______________ administrativa decretada por Felipe V.
3. El movimiento de la Ilustración fue una ______________ contra el orden de valores del Antiguo Régimen.
4. La ______________ de carácter erudito tuvo un gran desarrollo durante la Ilustración.
5. La difusión de las Luces fue frenada por los ______________.
6. Los reformistas ilustrados utilizaron la literatura como medio de ______________ del espíritu de las Luces.
7. Francisco de Goya fue la personalidad fundamental de la ______________ española entre el Neoclasicismo y el Romanticismo.

**4** **Elija entre las frases siguientes las que considere más ajustadas a la realidad.**

*A.*
1. Carlos III favoreció el acceso a la Universidad de los "manteístas", estudiantes pobres adictos al espíritu de las Luces. ☐
2. Carlos III impidió el acceso a la enseñanza superior de los "manteístas", estudiantes pobres adictos al espíritu de las Luces. ☐

*B.*
1. La economía española se recuperó durante el siglo XVIII y los españoles vivieron décadas de prosperidad. ☐
2. La economía española se recuperó durante el siglo XVIII, pero ello no mejoró las condiciones de vida de los españoles. ☐

*C.*
1. Por miedo a la reacción casticista, los reformistas ilustrados se abstuvieron de criticar los fundamentos del sistema socioeconómico vigente. ☐
2. Los reformistas ilustrados criticaron todos los factores e instituciones que impedían el aumento de la producción y dificultaban el comercio. ☐

## EL ORDEN DEL TEXTO

**1** **Agrupe las palabras en la categoría que corresponda.**

casticistas / sainete / Despotismo Ilustrado / Carlos III / *Informe sobre la Ley Agraria* / Mariano José de Larra / Juan Pablo Forner / Museo del Prado

| ROMANTICISMO | ILUSTRACIÓN | ANTIGUO RÉGIMEN |
|---|---|---|
| DON QUIJOTE | | |

**2** **Ahora escriba frases con todos los elementos de cada categoría.**

..........................................................................................

..........................................................................................

..........................................................................................

..........................................................................................

**3 Forme parejas con los nombres, términos o conceptos que tengan relación entre sí.**

| | | | |
|---|---|---|---|
| mercantilismo | • | • | José Cadalso |
| imaginería barroca | • | • | librecambismo |
| origen de la pintura contemporánea | • | • | Salzillo |
| teatro lírico español | • | • | Leandro Fernández de Moratín |
| literatura crítica | • | • | Goya |
| comedias neoclásicas | • | • | zarzuela |

## LA IMAGEN DEL TEXTO

**1 A partir de esta imagen, trate de escribir un breve texto en el que aparezcan las palabras propuestas.**

Costumbrismo
Cultura popular
Ocio

..................................................................................................

..................................................................................................

..................................................................................................

..................................................................................................

..................................................................................................

## MÁS ALLÁ DEL TEXTO

"En la primera mitad del siglo, la penetración de la Ilustración se efectúa de manera esporádica y a través de individualidades excepcionales, como Feijoo, Luzán, Juan de Iriarte, Montiano, que hacen llegar a nuestras letras los primeros ecos de la gran revolución científica del racionalismo, así como de la transformación estética del neoclasicismo. Pero es en la segunda mitad del siglo, y sobre todo a partir de 1760, cuando la renovación intelectual de la Ilustración penetra en amplias capas de la sociedad española. Este movimiento espiritual procede, sin duda, de una deliberada decisión de la monarquía de usar el poder real para transformar la vida española de acuerdo con los ideales racionales que se difunden en Europa; es decir, forma parte del gran movimiento político que se ha llamado Despotismo Ilustrado, que en España encarna Carlos III".

**(En *Los orígenes del pensamiento reaccionario español*, de Javier Herrero. Madrid. Edicusa. 1971.)**

1. Después de leer el texto, identifique el asunto tratado y enúncielo en una frase.
2. Resuma las tesis y argumentos del autor.
3. Subraye los párrafos o frases fundamentales y destaque los principales acontecimientos que avalan la argumentación del autor.

"¿Cuáles son esas dos mitades, esa primera realidad con que desde hace casi dos siglos se encara cada español?
Don Ramón Menéndez Pidal las identifica con las dos tendencias, conservadora e innovadora, que nos han dividido a lo largo de la historia. Las dos Españas serían, según eso, la continuidad y la aventura, la obediencia y la iniciativa; no tanto partidos o ideologías políticas concretas, aunque podríamos hablar de tendencias de derecha y de izquierda, respectivamente (...).
¿Pero es eso todo lo que se ha querido significar al hablar de las dos Españas: lo que pensaba Fidelino de Figueiredo cuando, en su clásica obra *Las dos Españas*, afirmaba que "en España

derechas e izquierdas no significan lo que en todas partes se expresa con esa terminología parlamentaria, moderación o radicalismo", sino que "son cosa más compleja que en cualquier otra parte"; son "dos hemisferios del mapa espiritual español, que aparece así en extremo simple, pero bipartido desde que se rompió la unidad de la conciencia nacional...; dos extremismos inconciliables, pero indispensables el uno al otro, como las valvas de una castañuela, opuestas e inseparables para producir el sonido característico?"

**(En *Historia breve de las dos Españas*, de José M. García Escudero. Madrid. Ríoduero. 1980.)**

1. Después de leer el texto, trate de elegir la opción correcta para terminar cada una de las siguientes frases.

   1. ¿A qué denominamos con la expresión "las dos Españas"?
      a. A la división geográfica entre la España húmeda y la España seca.
      b. A una división histórica que refleja dos períodos opuestos.
      c. Dos tendencias opuestas que se han repetido a lo largo de la historia.

   2. ¿Qué tipo de división refleja esa denominación de las "dos Españas"?
      a. De carácter esencialmente administrativo y político.
      b. Una división ideológica con implicaciones políticas y económicas.
      c. Una fractura social motivada por razones administrativas.

   3.En opinión de Fidelino de Figuereido, las "dos Españas"...
      a. Son cada una de las partes que componen la unidad de la conciencia nacional.
      b. Es la denominación que en España designa la diferencia entre los partidos de izquierda y derecha.
      c.Son dos extremos irreconciliables del mapa social y espiritual del país.

2. A partir de la división establecida en este texto, agrupe a las personalidades que han aparecido a lo largo del capítulo IX en una u otra tendencia.

3. Coloque un título que resuma el contenido del texto y que no incluya la palabra "España".

## PROPUESTAS PARA EL DEBATE

1. A lo largo del capítulo se ha hablado del problema de las "dos Españas". En su opinión, ¿a qué dos Españas se refiere el texto?, ¿cree que todavía se puede hablar de esas dos Españas?, ¿qué rasgos cree que perduran de ese enfrentamiento?
2. Señale los acontecimientos del siglo XVIII que, en su opinión, más influencia han tenido en el devenir histórico de España.

## EN INTERNET

Si quiere conocer algo más de la vida y la obra de Gaspar Melchor de Jovellanos, le proponemos visitar:

www.jovellanos.net

# *EL SIGLO XIX: REVOLUCIÓN BURGUESA Y ROMANTICISMO*

## EL TEXTO EN SU CONTEXTO

**1 Responda a las preguntas siguientes a partir de la lectura del capítulo X.**

1. ¿Cómo se organizó el poder en España tras la marcha de la Familia Real a Francia?

   ..........................................................................................................

2. ¿Cuál fue el logro más trascendental de las Cortes de Cádiz?

   ..........................................................................................................

3. ¿Qué entendían los legisladores de Cádiz por Nación Española?

   ..........................................................................................................

4. ¿Se extendió el liberalismo a Hispanoamérica? ¿Qué consecuencias se derivaron de este hecho?

   ..........................................................................................................

5. ¿Quiénes eran los afrancesados?

   ..........................................................................................................

6. ¿El enfrentamiento entre liberales y carlistas fue continuación de la división ideológica entre las "dos Españas"?

   ..........................................................................................................

7. ¿Qué objetivos perseguían los gobiernos liberales con las desamortizaciones?

   ..........................................................................................................

8. ¿Cómo comenzó en España el fenómeno de la industrialización?

   ..........................................................................................................

## 2 ¿Verdadero o falso? Elija la opción correcta para cada una de las frases propuestas.

| | V | F |
|---|---|---|
| 1. Las desamortizaciones no afectaron a las grandes propiedades de los nobles. ______ | ☐ | ☐ |
| 2. Las desamortizaciones favorecieron la formación de una extensa clase de pequeños propietarios. ______ | ☐ | ☐ |
| 3. Pi i Margall elaboró un programa federalista utópico. ______ | ☐ | ☐ |
| 4. La revolución cantonalista fue un hecho aislado y episódico que no alteró la paz social ni puso en peligro la unidad del país. ______ | ☐ | ☐ |
| 5. La mejora de las comunicaciones y la construcción de la red ferroviaria contribuyeron a la formación de la unión económica nacional. | ☐ | ☐ |
| 6. En España no existía tradición libertaria ni concienciación obrera cuando se produjo la recepción de la ideología de las internacionales obreras. ______ | ☐ | ☐ |

## 3 Complete las frases con las palabras que aparecen en los recuadros.

ZORRILLA — LARRA — URBANISMO — EFECTOS — RACIONALISMO — ESPRONCEDA — BÉCQUER

1. Los románticos opusieron la fantasía y la imaginación al ______ y al academicismo de las Luces.
2. El primer gran poeta romántico español fue ______ .
3. ______ recreó el drama histórico nacional y fue el autor de *Don Juan Tenorio,* obra que aún goza del favor del público.
4. El periodista ______ , que ironizó sobre los vicios sociales, fue un gran escritor costumbrista.
5. La prosa poética de ______ es de las más bellas de las letras españolas.
6. Los pintores románticos se centraron en conseguir los mayores ______ decorativos.
7. La arquitectura industrial y el ______ compensaron las limitaciones de la arquitectura romántica.

**4** **Elija entre las frases siguientes las que considere más ajustadas a la realidad.**

*A.*
1. La legislación civil y mercantil tenía como objetivo acabar con la pluralidad jurídica del Antiguo Régimen. ☐
2. La legislación civil y mercantil tenía como objetivo favorecer a las clases privilegiadas. ☐

*B.*
1. El pueblo apoyó la proclamación de la Primera República porque pensaba que el nuevo régimen acabaría con la anarquía. ☐
2. El pueblo apoyó la proclamación de la República porque creía que el nuevo régimen acabaría con las injusticias sociales. ☐

*C.*
1. La legislación liberal se adecuó a los intereses de la burguesía. ☐
2. La legislación liberal se adecuó al interés del bien común. ☐

## EL ORDEN DEL TEXTO

**1** **Agrupe las palabras en la categoría que corresponda.**

Constitución de 1812 / sentimiento nacional / afrancesados / Trienio Liberal / carlismo / federalismo

| ANTIGUO RÉGIMEN | LIBERALISMO |
| --- | --- |
| | |

**2** **Ahora escriba frases con los elementos de cada categoría.**

..............................................................................................................
..............................................................................................................
..............................................................................................................
..............................................................................................................

**3** **Forme parejas con los nombres, términos o conceptos que tengan relación entre sí.**

| | | | |
|---|---|---|---|
| Socialismo utópico | • | • | Pi i Margall |
| Decorativismo pictórico | • | • | "España de pandereta" |
| viajeros románticos | • | • | Isabel II |
| Desamortizaciones | • | • | Movimiento obrero |
| Federalismo | • | • | Mariano Fortuny |
| Revolución de 1868 | • | • | Reforma Agraria |
| Plan de reforma urbanística de Barcelona | • | • | Ildefonso Cerdá |

## LA IMAGEN DEL TEXTO

**1** **A partir de esta imagen, trate de escribir un breve texto en el que aparezcan las palabras propuestas.**

*Justicia*
*Liberalismo*
*Revolución*

.......................................................................
.......................................................................
.......................................................................
.......................................................................
.......................................................................

## MÁS ALLÁ DEL TEXTO

# A

"Si, vista desde lejos, la pérdida del Imperio Americano fue la principal secuela aislada de la crisis de 1808, el legado de la Guerra de la Independencia moldeó la historia posterior de la propia España. Al liberalismo, le dotó de un programa y de una técnica revolucionaria. Definió el patriotismo español, dotándole de un mito duradero. Unció el liberalismo con el problema de los generales en la política y con la mística de la guerrilla. Pero el problema más complicado y menos digerible que dejó tras de sí fue el de los afrancesados. Doce mil familias españolas que habían servido al rey francés siguieron a José al cruzar éste los Pirineos tras la batalla de Vitoria. Durante una generación, estos exiliados, entre los que se contaban los hombres más capacitados de España, serían vistos con desconfianza tanto por liberales como por reaccionarios.

Se creó un moderno nacionalismo español, comparable al naciente en otros países europeos, por el hecho de resistir a Napoleón. Dotó la unidad administrativa de la España borbónica, "creación suprema del siglo XVIII", de un contenido emocional. Para una generación de románticos europeos creó la imagen de una nación "sui generis", de una fuerza natural no contaminada por Europa, imagen consagrada por el mayor escritor de la España del siglo XIX, el novelista Galdós. La resistencia sin par y digna de España dio vida a un mito de gran fuerza, utilizable tanto por los radicales como por los tradicionalistas".

**(En *España 1808-1975,* de Raymond Carr. Barcelona. Ariel. 1992.)**

1. Después de leer el texto, trate de elegir la opción correcta para terminar cada una de las siguientes frases.

    1. ¿A qué sucesos históricos asociamos la crisis de 1808?
        a. La Guerra de la Independencia y la pérdida de las colonias americanas.
        b. Caída del liberalismo y llegada de José I al trono de España.
        c. Consolidación del liberalismo revolucionario y exilio de José I.

    2. ¿Qué acontecimiento está asociado al surgimiento del moderno nacionalismo español?
        a. La pérdida de las colonias americanas por los procesos de independencia.
        b. La lucha contra Napoleón en la Guerra de la Independencia.
        c. La creación de la unidad administrativa con los primeros borbones.

    3. ¿Cuál fue la consecuencia en Europa de la Guerra de Independencia española?
        a. Europa fue contaminada por una oleada de nacionalismo español.
        b. Creó un mito cultural aprovechado y recreado por autores extranjeros.
        c. Trasladó la imagen de un país moderno, europeo y cosmopolita.

2. ¿Qué imagen, de las aparecidas en el capítulo X, resume mejor en su opinión el espíritu de la España de la época?

B 

"El liberalismo coincide en su advenimiento en España con la difusión del movimiento romántico. Algunos de los protagonistas de la literatura de esta significación fueron además dirigentes políticos, como es el caso de Francisco Martínez de la Rosa, autor de *La conjuración de Venecia*, drama estrenado en 1834, o del duque de Rivas, autor en 1835 de *Don Álvaro o la fuerza del sino*, quizá la obra más significativa del romanticismo. En realidad se ha señalado con razón que, aunque la influencia de este movimiento cultural date de la fecha indicada, lo cierto es que España vivió colectivamente una experiencia de romanticismo a partir de la guerra de la independencia y también en el primer liberalismo, en el que la denominación misma de un grupo político como exaltado es una buena prueba de ello. Además, España se convirtió para los románticos de otras latitudes en el país romántico por excelencia por su mezcla de exotismo, arrebato vital y pasado histórico. Alguno de los grandes románticos españoles, como José de Espronceda, constituyó el ejemplo del literato interesado en la política más radical, en paralelo con el poeta británico Byron".

**(En *Historia de España*, dirigida por Javier Tusell. Madrid. Taurus. 1998.)**

1. Después de leer el texto, identifique el asunto tratado y enúncielo en una frase.
2. Resuma las tesis y argumentos del autor.
3. Subraye los párrafos o frases fundamentales y destaque los principales acontecimientos que avalan la argumentación del autor.

## PROPUESTAS PARA EL DEBATE

1. Como habrá visto, fue durante esta época cuando comenzaron a surgir los modernos movimientos nacionalistas en distintos países europeos. ¿Conoce cuál es la situación del nacionalismo en España en la actualidad?, ¿cómo cree que influye en la vida política y social del país? Compare esa situación con la de su país.
2. ¿Cómo definiría el casticismo? ¿Puede encontrarse algo parecido en su país?

## EN INTERNET

Francisco de Goya y Mariano José de Larra son los dos grandes nombres del Romanticismo español. Le proponemos un recorrido por la vida y la obra de ambos artistas en la siguientes páginas:

www.goya.unizar.es
www.irox.de/larra/

# *1874-1931: LA RESTAURACIÓN Y LA EDAD DE PLATA DE LA CULTURA ESPAÑOLA*

## EL TEXTO EN SU CONTEXTO

**1 Responda a las preguntas siguientes a partir de la lectura del capítulo XI.**

1. ¿En qué principios políticos básicos se apoyaba el ideario de Cánovas del Castillo?

   .................................................................................................................................

2. ¿Cuál fue la principal consecuencia del "desastre colonial"?

   .................................................................................................................................

3. ¿Qué fue el Regeneracionismo?

   .................................................................................................................................

4. ¿Qué innovaciones pedagógicas introdujo la Institución Libre de Enseñanza?

   .................................................................................................................................

5. ¿Hubo alguna relación entre Regeneracionismo y Generación del 98?

   .................................................................................................................................

6. ¿Qué entendía Unamuno por "intrahistoria"?

   .................................................................................................................................

7. ¿La Generación del 98, los novecentistas y la Generación de 1914 eran europeístas?

   .................................................................................................................................

## 2 ¿Verdadero o falso? Elija la opción correcta para cada una de las frases propuestas.

| | V | F |
|---|---|---|
| 1. Los políticos de la Restauración no consiguieron estabilizar la situación política. ______ | ☐ | ☐ |
| 2. La Constitución de 1876 estableció el sufragio universal. ______ | ☐ | ☐ |
| 3. Para Cánovas del Castillo, las Cortes y el Rey eran las instituciones básicas de la Nación. ______ | ☐ | ☐ |
| 4. La crisis espiritual de fines de siglo se originó por el antagonismo entre el catolicismo conservador y el cientificismo. ______ | ☐ | ☐ |
| 5. Las exportaciones a los países beligerantes en la Primera Guerra Mundial acabaron con el déficit crónico de la balanza comercial. ______ | ☐ | ☐ |
| 6. En 1879 se fundó el Partido Socialista Obrero Español (PSOE). ______ | ☐ | ☐ |

## 3 Complete las frases con las palabras que aparecen en los recuadros.

RURALISMO    REXURDIMENTO    DERECHOS    IDEALISMO    RENAIXENÇA    CAUDILLISMO

1. La constante evocación de los regeneracionistas del "cirujano de hierro" alentó el ______________.
2. Los krausistas fusionaron ______________, misticismo y sentido práctico.
3. Un hito importante en el desarrollo de la ______________ fue la restauración de los Juegos Florales en 1859.
4. Rosalía de Castro fue la personalidad fundamental del ______________ .
5. Los nacionalistas vascos rechazaron las formas de vida que comportaba la industrialización, por ser contrarias al ______________ tradicional.
6. Todos los nacionalismos ibéricos apoyan sus reivindicaciones en ______________ históricos y en el pasado.

**4** **Elija entre las frases siguientes las que considere más ajustadas a la realidad.**

*A.*
1. La adhesión de la burguesía industrial debilitó al nacionalismo catalán. ☐
2. La adhesión de la burguesía industrial fortaleció al nacionalismo catalán. ☐

*B.*
1. El nacionalismo vasco se radicalizó a medida que ganaba adeptos entre la burguesía. ☐
2. Las reivindicaciones de los nacionalistas vascos se moderaron a medida que la burguesía se incorporaba al movimiento. ☐

*C.*
1. Los nacionalismos vasco y gallego se inspiraron en el catalán. ☐
2. Los nacionalistas vascos y gallegos no tuvieron en cuenta las propuestas de los nacionalistas catalanes. ☐

## EL ORDEN DEL TEXTO

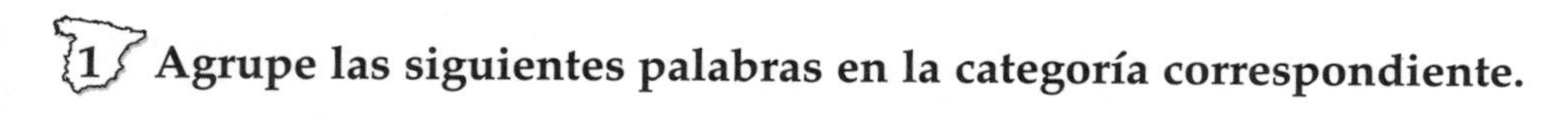

**1** **Agrupe las siguientes palabras en la categoría correspondiente.**

Vicente Blasco Ibáñez / Benito Pérez Galdós / Mancomunidad de Cataluña / Templo de la Sagrada Familia de Barcelona / Antonio Gaudí / *Tirano Banderas* / Manuel Murguía / "ismos" de entreguerras / Francisco Cambó

| REGIONALISMO | REALISMO | MODERNISMO | VANGUARDIAS |
|---|---|---|---|
| | | | |

**2** **Ahora escriba frases con los miembros de cada categoría.**

..............................................................................................................
..............................................................................................................
..............................................................................................................
..............................................................................................................

**3** **Forme parejas con los nombres, términos o conceptos que tengan relación entre sí.**

| | | | |
|---|---|---|---|
| Nacionalismo musical | • | • | Jacinto Benavente |
| Cubismo | • | • | Pablo Picasso |
| Surrealismo | • | • | Luis Buñuel |
| Vanguardias literarias | • | • | Ramón María del Valle-Inclán |
| Esperpento | • | • | Ramón Gómez de la Serna |
| Teatro burgués o de bulevar | • | • | Manuel de Falla |

## LA IMAGEN DEL TEXTO

**1** **A partir de estas imágenes, trate de escribir un breve texto en el que aparezcan las palabras propuestas.**

***Oligarquía***
***Gobierno***
***Monarquía***

..................................................................................................

..................................................................................................

..................................................................................................

..................................................................................................

..................................................................................................

## MÁS ALLÁ DEL TEXTO

A 

"La idea de Cánovas era ambiciosísima en su simplicidad: crear un régimen de libertad y concordia, un sistema estable basado en un poder civil prestigioso, apoyado en partidos políticos sólidos y fuertes capaces de alternar armónicamente en el gobierno; construir un Estado centralizado y bien estructurado con una Constitución abierta -de soberanía compartida entre la Corona y las Cortes-, donde la defensa de valores tradicionales como la familia, la religión y la propiedad fuese compatible con un cierto grado de intervencionismo del Estado a favor de las clases necesitadas (a lo que Cánovas añadiría desde los años ochenta -como respuesta a la situación económica internacional- la defensa del proteccionismo arancelario para la producción española). En un punto, y no menor ciertamente, tuvo éxito innegable: la Restauración resolvió el problema de gobierno que el país arrastraba a todo lo largo del siglo XIX".

**(En *España: 1808-1996. El desafío de la modernidad,* de Juan Pablo Fusi y Jordi Palafox. Madrid. Espasa. 1998)**

1. Después de leer el texto, trate de elegir la opción correcta para terminar cada una de las siguientes frases.

1. ¿Cómo podríamos resumir el propósito principal de Cánovas con la Restauración?
   a. La creación de un Estado aconfesional.
   b. Dotar de estabilidad al gobierno.
   c. Crear un sistema político basado en el sufragio universal.

2. ¿Qué medidas se adoptaron para hacer frente a la crisis económica internacional?
   a. La supresión de los aranceles para los productos españoles.
   b. La liberalización de los mercados.
   c. El refuerzo del proteccionismo para los productos españoles.

3. ¿Cómo puede medirse el éxito de la Restauración?
   a. Proporcionó al país un gobierno estable durante todo el siglo XIX.
   b. Permitió restaurar las formas de gobierno anteriores al siglo XIX.
   c. Resolvió la cuestión de la estabilidad del gobierno durante el último tercio del siglo XIX.

2. Compare los propósitos de Cánovas y lo que realmente se logró con el régimen de la Restauración.

3. Elija un título que resuma el contenido del texto.

## B

"Los profesores krausistas se determinaron a abrir una institución de enseñanza privada que les permitiese realizar sus aspiraciones de reforma pedagógica y educativa de la España en que vivían. El objetivo de sus esfuerzos era preservar la libertad de enseñanza y la conciencia del profesor frente a la coacción y el intervencionismo del Estado (...).

El 10 de marzo de 1876 se firman las bases de la Institución Libre de Enseñanza, un documento que consta de dos grandes apartados: el primero, constituyendo la Asociación, "cuyo objeto es fundar en Madrid una institución libre, consagrada al cultivo y propagación de la ciencia, en sus diversos órdenes, especialmente por medio de la enseñanza" (art. 1°); el segundo da origen a la Institución propiamente dicha, concibiéndola como "completamente ajena a todo espíritu o interés de comunión religiosa, escuela filosófica o partido político; proclamando tan sólo el principio de la libertad e inviolabilidad de la ciencia y de consiguiente independencia a su indagación y exposición respecto de cualquier otra autoridad que la de la propia conciencia del profesor".

**(En *Historia crítica del pensamiento español. La crisis contemporánea (1875-1936)*, de José Luis Abellán. Madrid. Espasa-Calpe. 1989.)**

1. Después de leer el texto, identifique el asunto tratado y enúncielo en una frase.

   ..........................................................................................................

2. Resuma las tesis y argumentos del autor.

   ..........................................................................................................

3. Subraye los párrafos o frases fundamentales y destaque los principales acontecimientos que avalan la argumentación del autor.

   ..........................................................................................................

### PROPUESTAS PARA EL DEBATE

1. Según lo que se ha visto en el capítulo acerca de la evolución del movimiento obrero en España, ¿encuentra grandes diferencias con la evolución del mismo en su país?
2. ¿Cuál es el papel que desempeña el movimiento obrero en su país? ¿Se ha modernizado el mensaje de los sindicatos? ¿Debe hacerlo?

### EN INTERNET

Le ofrecemos la posibilidad de acercarse a dos de las grandes aportaciones artísticas de la cultura española en el siglo XX: la pintura de Pablo Ruiz Picasso y la poesía de la Generación del 27.

www.fundacionpicasso.es www.residencia.csic.es

# 1931-1975: SEGUNDA REPÚBLICA, GUERRA CIVIL Y FRANQUISMO

## EL TEXTO EN SU CONTEXTO

**1 Responda a las preguntas siguientes a partir de la lectura del capítulo XII.**

1. ¿Por qué afirmó Azaña que España había dejado de ser católica?

   ..............................................................................................................

2. ¿Qué solución dio la República a los nacionalismos?

   ..............................................................................................................

3. ¿Cuáles fueron los logros de la República en el campo de la enseñanza?

   ..............................................................................................................

4. ¿Qué apoyos internacionales tuvo el general Franco?

   ..............................................................................................................

5. ¿Cómo se explica la actitud de las democracias occidentales respecto a la República y a la Guerra Civil?

   ..............................................................................................................

6. ¿A quién apoyó la jerarquía eclesiástica en la Guerra Civil?

   ..............................................................................................................

7. ¿La guerra resolvió los problemas de España?

   ..............................................................................................................

8. ¿Cuándo y cómo comenzó la recuperación económica?

   ..............................................................................................................

**2** **¿Verdadero o falso? Elija la opción correcta para cada una de las frases propuestas.**

| | V | F |
|---|---|---|
| 1. La República puso en práctica un ambicioso programa de reforma y mejora de la enseñanza. ______ | ☐ | ☐ |
| 2. Franco decidió revestir su poder autocrático de un mínimo de apariencia democrática cuando la situación de las potencias fascistas fue menos favorable en la Guerra Mundial. ______ | ☐ | ☐ |
| 3. El modelo político instituido por Franco se mantuvo inalterable entre 1936 y 1975. ______ | ☐ | ☐ |
| 4. La Escuela Filosófica de Madrid se formó en los años treinta bajo el magisterio de Ortega y Gasset. ______ | ☐ | ☐ |
| 5. En la literatura de los años cincuenta predominaron la imaginación y la ficción sobre el sentido crítico y testimonial. ______ | ☐ | ☐ |
| 6. El "Nuevo Teatro", de autores de la misma generación que Arrabal, actualizó la corriente tradicional del teatro de bulevar. ______ | ☐ | ☐ |

**3** **Complete las frases con las palabras que aparecen en los recuadros.**

1951 — FILOSOFÍA — 300.000 — 1954 — MOVIMIENTO

1. Unos ______________ españoles tuvieron que salir del país hacia un exilio que para algunos duró hasta 1977.
2. Hasta ______________ no se recuperó la renta por individuo activo de 1935.
3. El general Franco disolvió los partidos de izquierda y unificó los de derecha en el ______________ Nacional.
4. Entre los filósofos del exilio, María Zambrano analizó las relaciones entre poesía y ______________ .
5. Las vanguardias musicales fueron introducidas por la Generación de ______________ .

**4 Elija entre las frases siguientes las que considere más ajustadas a la realidad.**

*A.*

1. La crisis económica internacional de 1929 no ayudó al curso económico de los acontecimientos ni a la realización de las reformas. ☐
2. La crisis económica internacional de 1929 no perjudicó de forma especial a la economía española ni dificultó la realización del programa reformista. ☐

*B.*

1. La Constitución de 1931 fue la primera carta española en proclamar la aconfesionalidad del Estado. ☐
2. La Constitución de 1931 asumió el laicismo tradicional del constitucionalismo español. ☐

*C.*

1. La República fracasó por falta de apoyos popular e internacional. ☐
2. La República fracasó por el desacuerdo entre sus dirigentes, la ausencia de solidaridad entre la retaguardia y el frente de batalla y por la carencia de un líder indiscutible. ☐

## EL ORDEN DEL TEXTO

**1 Agrupe las palabras en la categoría que corresponda.**

Alfonso XIII / Manuel Azaña / General Primo de Rivera / República burguesa / Frente Popular / Movimiento Nacional / Leyes Fundamentales / Carrero Blanco

| MONARQUÍA | REPÚBLICA | RÉGIMEN FRANQUISTA |
|---|---|---|
| | | |

**2 Ahora escriba frases con los miembros de cada categoría.**

.................................................................................................

.................................................................................................

.................................................................................................

.................................................................................................

**3** **Forme parejas con los nombres, términos o conceptos que tengan relación entre sí.**

| | |
|---|---|
| Realismo cinematográfico • | • Fernando Arrabal |
| "Morada vital" • | • Rafael Alberti |
| Poesía social • | • Alfonso Sastre |
| Teatro pánico • | • *Bienvenido Mr. Marshall* |
| *Noche de guerra en el Museo del Prado* • | • Gabriel Celaya |
| Realismo testimonial • | • Américo Castro |
| Drama existencial • | • *El Jarama* |

## LA IMAGEN DEL TEXTO

**1** **A partir de esta imagen, trate de escribir un breve texto en el que aparezcan las palabras propuestas.**

EVOLUCIÓN 1938

*Avance*
*Guerra*
*Tropas*
*Territorios*

EVOLUCIÓN 1939

 ..................................................................................

..........................................................................................................

..........................................................................................................

## MÁS ALLÁ DEL TEXTO

# A 

"El 14 de abril fue un día de gozosa celebración y de expectación en las principales ciudades de España. Inmediatamente después de las elecciones municipales del día 12, el conde de Romanones, fiel amigo y consejero del rey, y el doctor Gregorio Marañón, su médico personal, hombre liberal y de gran cultura, aconsejaron al monarca que reconociera el fuerte carácter republicano de la votación. Alfonso XIII, reacio a abandonar el trono, pidió asimismo su opinión a los militares, que le hicieron ver que sólo podría mantener su posición a costa de una guerra civil. Mientras tanto, Romanones y Marañón negociaron la transmisión de poderes con el primer ministro del nuevo Gobierno, Niceto Alcalá Zamora. En los meses que siguieron al pacto de San Sebastián, los republicanos habían formado en la sombra un Gabinete completo. El 14 de abril estos caballeros salieron de la cárcel Modelo de Madrid, o regresaron de su exilio en Francia, mientras que el rey hacía las maletas y el pueblo vitoreaba a la República y a los nuevos ministros cuyos nombres eran repetidos en voz alta en la Puerta del Sol. En las plazas y en los campamentos militares de maniobras los sones de la Marsellesa se mezclaban con los del himno republicano tradicional, el Himno de Riego. En todas las mentes había el recuerdo de la Revolución Francesa y como contraste, los republicanos españoles señalaban orgullosos el hecho de que al rey lo hubieran dejado marchar en paz y que los revolucionarios se hubiesen puesto de acuerdo de antemano en la colaboración ministerial y en el nombramiento de los ministros".

**(En *La República española y la guerra civil,* de Gabriel Jackson. Barcelona. Crítica. 1986.)**

1. Después de leer el texto, identifique el asunto tratado y enúncielo en una frase.

2. Resuma las tesis y argumentos del autor.

3. Subraye los párrafos o frases fundamentales y destaque los principales acontecimientos que avalan la argumentación del autor.

B 

"La Guerra Civil fue la culminación de una serie de accidentadas luchas entre las fuerzas de la reforma y las de la reacción que dominaban la historia española desde 1808. Hay una constante curiosa en la historia moderna de España que procede de un frecuente **desfase** entre la realidad social y la estructura de poder político que la regía. Los larguísimos períodos durante los cuales los elementos reaccionarios han intentado utilizar el poder político y militar para retrasar el progreso social se han visto inevitablemente seguidos de estallidos de **fervor** revolucionario. En 1850, 1870, entre 1917 y 1923 y, principalmente, durante la Segunda República, se llevaron a cabo esfuerzos para poner la política española en sintonía con la realidad social del país. Ello implicó, inevitablemente, intentos de introducir reformas fundamentales, especialmente agrarias, y de llevar a cabo redistribuciones de la riqueza. Tales esfuerzos provocaron, alternativamente, intentos reaccionarios de detener el reloj y reimponer la tradicional desigualdad en la posesión del poder económico y social. Así, hubo progresivos **movimientos** aplastados por el general O'Donnell en 1856, el general Pavía en 1874 y el general Primo de Rivera en 1923.

Por tanto, la Guerra Civil representó la última expresión de los intentos de los **elementos reaccionarios** en la política española de aplastar cualquier reforma que pudiera amenazar su privilegiada posición".

**(En *La Guerra Civil española,* de Paul Preston. Barcelona. Plaza Janés. 2000.)**

1. Relacione las siguientes definiciones con los términos o expresiones correspondientes.

   a. Sublevación, alzamiento o rebelión contra el poder constituido.
   b. Falta de acuerdo o de adaptación a las ideas o circunstancias del momento.
   c. Entusiasmo e interés intensos.
   d. Aquellas fuerzas sociales o individuos que se oponen a las innovaciones, en particular en materia política.

2. Ponga en relación este texto con el que aparece en el capítulo IX de las "dos Españas". ¿De qué manera perduró la rivalidad entre esas dos tendencias? ¿Cuáles eran en 1936 los términos del enfrentamiento?

## PROPUESTAS PARA EL DEBATE

1. ¿Qué imagen tiene de la II República española después de la lectura del capítulo? ¿Cómo definiría la evolución de aquella etapa histórica?

2. En su opinión, ¿algunos de los tópicos aplicados a los españoles tienen una vinculación con la imagen estereotipada que difundió el régimen franquista más que con la realidad histórica del país?

## EN INTERNET

La celebración del centenario de Luis Buñuel sería una buena ocasión para conocer algo más de la vida y la obra de este cineasta genial, poseedor de un universo estético y moral absolutamente singular y original. Para ello puede visitar:

www.luisbunuel.org

# *ESPAÑA DESDE LA TRANSICIÓN DEMOCRÁTICA*

## EL TEXTO EN SU CONTEXTO

**1 Responda a las preguntas siguientes a partir de la lectura del capítulo XIII.**

1. ¿Cómo se organizó el Estado español tras la desaparición del franquismo?
   ..........
2. ¿La Constitución fue resultado del consenso entre las fuerzas políticas?
   ..........
3. ¿Qué significó para los españoles el ingreso en la Europa comunitaria?
   ..........
4. ¿La recuperación de las libertades democráticas tuvo alguna repercusión en la cultura?
   ..........
5. ¿En qué consistió la "Movida"?
   ..........
6. ¿Qué eventos se conmemoraron en 1992?
   ..........
7. ¿Qué influencia tuvieron en la economía española de la época los Pactos de la Moncloa?
   ..........
8. ¿Cómo se comportó la economía española ante las crisis de los noventa?
   ..........

## 2 ¿Verdadero o falso? Elija la opción correcta para cada una de las frases propuestas.

| | V | F |
|---|---|---|
| 1. La recuperación de las libertades democráticas despertó escaso interés en el mundo de la cultura. ______ | ☐ | ☐ |
| 2. En muchos párrafos, la Constitución de 1978 permite interpretaciones diversas. ______ | ☐ | ☐ |
| 3. La monarquía es una institución valorada muy positivamente por los españoles. ______ | ☐ | ☐ |
| 4. El presidente Adolfo Suárez desempeñó un papel relevante en la Transición Democrática. ______ | ☐ | ☐ |
| 5. Las actitudes radicales prevalecen sobre la moderación ideológica en la España contemporánea. ______ | ☐ | ☐ |

## 3 Complete las frases con las palabras que aparecen en los recuadros.

GOLPE — 93% — COMUNIDADES — PRIVATIZACIONES — ASPIRACIÓN — ESPAÑA

1. El Rey logró neutralizar el ______ de Estado dado por un grupo de guardias civiles en febrero de 1981.
2. El ingreso en la Europa comunitaria era una vieja ______ del régimen franquista.
3. El ideal de armonización con Europa lo resumió claramente Ortega y Gasset en su famosa frase: " ______ es el problema, Europa la solución".
4. A fin de afrontar con éxito el reto de la globalización y de elevar la competitividad, en 1995 dio comienzo un plan de ______ de las empresas públicas.
5. Los partidos nacionalistas tienen gran arraigo en las ______ históricas.
6. El ______ de los españoles considera compatibles el sentimiento regionalista y el sentirse español.

## 4 Elija entre las frases siguientes las que considere más ajustadas a la realidad.

**A.**
1. La moda, el diseño y la fotografía fueron valorados por los protagonistas de la Movida como signos supremos de la modernidad. ☐
2. La moda, el diseño y la fotografía quedaron al margen del proceso de dinamización cultural de la época de la transición política. ☐

**B.**
1. Los Pactos de la Moncloa pusieron de manifiesto el desacuerdo existente entre los partidos políticos. ☐
2. Los Pactos de la Moncloa fueron el resultado del acuerdo entre las fuerzas parlamentarias. ☐

**C.**
1. El cine de Pedro Almodóvar es a la vez vanguardista, internacional y profundamente español. ☐
2. El cine de Pedro Almodóvar sólo es la versión moderna de la tradición española folclórico-costumbrista. ☐

## EL ORDEN DEL TEXTO

## 1 Agrupe las palabras en la categoría que corresponda.

Fernando Trueba / *El País* / centrismo ideológico / José María Aznar / Monarquía parlamentaria / *Movida* / privatización de las empresas públicas / auge económico

| ECONOMÍA | VIDA POLÍTICA | VIDA CULTURAL |
| --- | --- | --- |
| | | |

## 2 Ahora escriba frases con los elementos de cada categoría.

..........................................................................................

..........................................................................................

..........................................................................................

..........................................................................................

**3 Forme parejas con los nombres, términos o conceptos que tengan relación entre sí.**

| | | | |
|---|---|---|---|
| Óscar de Hollywood 2000 | • | • | Galicia |
| Premio Nobel de Literatura 1989 | • | • | *Todo sobre mi madre* |
| Unión de Centro Democrático (UCD) | • | • | Camilo José Cela |
| Celebración del Quinto Centenario del Descubrimiento de América | • | • | Adolfo Suárez |
| Comunidad histórica | • | • | 1992 |

## LA IMAGEN DEL TEXTO

**1 A partir de esta imagen, trate de escribir un breve texto en el que aparezcan las palabras propuestas.**

Democracia
Lucha
Transición

.................................................................................................

.................................................................................................

.................................................................................................

.................................................................................................

.................................................................................................

.................................................................................................

.................................................................................................

.................................................................................................

.................................................................................................

## MÁS ALLÁ DEL TEXTO

## A

"Un espíritu nuevo se dejó entrever desde el primer discurso del rey Juan Carlos I, que, pese al testigo recogido de Franco, pasó por alto los dogmas anteriores de la guerra civil y el movimiento. Como no estaba dispuesto a aceptar el papel de continuador, alzó hasta la presidencia del gobierno a un desconocido Adolfo Suárez, un burócrata del antiguo régimen que le ayudaría a que el franquismo cerrase los ojos mientras sentía la espada de sus propias leyes internándose por sus venas. De este modo, las viejas Cortes franquistas autorizaron la transición a la democracia, que muchos españoles querían hacer llegar sin las violencias que los agoreros franquistas habían vaticinado".

**(En *Biografía de España*, de Fernando García de Cortázar. Madrid. Galaxia Gutenberg/Círculo de Lectores. Barcelona. 1998.)**

1. Después de leer el texto, identifique el asunto tratado y enúncielo en una frase.
2. Resuma las tesis y argumentos del autor.
3. Subraye los párrafos o frases fundamentales y destaque los principales acontecimientos que avalan la argumentación del autor.

## B

El Mundo, 27 de diciembre de 1999

### *España cerró el paso hacia Europa a 759.695 personas*

Por **Juan Carlos González**

"Melilla, y en menor medida Ceuta, se configuran como las dos fronteras exteriores terrestres de la "zona Schengen" más conflictivas por la emigración ilegal, según se desprende del último informe anual sobre la aplicación del "Convenio Schengen". El documento, que analiza los problemas planteados en las fronteras terrestres, aéreas y marítimas de los actuales países que integran este acuerdo, augura un incremento de la presión migratoria en las fronteras "marítima y verde (mundo árabe)".

En 1998, las autoridades españolas rechazaron 702.094 personas en la frontera de Melilla y 57.601 en la de Ceuta. Las cifras del año anterior fueron de 344.424 y 55.045. A título de comparación, la frontera este de la "zona Schengen" (Alemania con Polonia y la República Checa) registró en total 24.050 intentos de entradas irregulares, un aumento del 4% respecto a 1997".

1. Después de leer el texto, identifique el asunto tratado y enúncielo en una frase.

2. ¿Cuál cree usted que es la postura del autor sobre la inmigración? Subraye las palabras o expresiones que mejor la definan.

**De dónde vienen los inmigrantes**

■ PROCEDENCIA DE LOS RESIDENTES Y REGULARIZADOS

| | Residentes en 1999 | Regularizados (2000) | TOTAL residentes |
|---|---|---|---|
| 1. Marruecos | 161.780 | 32.229 | 194.099 |
| 2. China | 24.693 | 6.265 | 30.958 |
| 3. Ecuador | 12.933 | 15.840 | 28.773 |
| 4. Colombia | 13.627 | 11.023 | 24.650 |
| 5. Argentina | 16.290 | 2.349 | 18.639 |
| 6. Argelia | 9.943 | 4.449 | 14.392 |
| 7. Senegal | 7.774 | 3.104 | 10.848 |
| 8. Rumanía | 5.082 | 5.679 | 10.761 |
| 9. Brasil | 8.120 | 2.261 | 10.381 |
| 10. Polonia | 6.517 | 2.571 | 9.088 |
| 11. Pakistán | 5.126 | 2.285 | 7.411 |
| 12. Nigeria | 4.214 | 1.586 | 5.800 |
| 13. Bulgaria | 3.013 | 1.805 | 4.818 |
| 14. Ucrania | 1.077 | 2.125 | 3.202 |
| 15. Mauritania | 1.621 | 1.535 | 3.156 |

Fuente: *El País*

3. Después de analizar la tabla, trate de explicar la diferencia entre ciudadanos residentes y regularizados. Elabore una lista similar con los datos que conozca de su país y compare los resultados.

## PROPUESTAS PARA EL DEBATE

1. ¿En qué cree que España continúa pareciéndose a su imagen pasada? En su opinión, ¿cuáles son los principales síntomas de cambio de la España en democracia respecto a la imagen habitual que se tiene del país en el exterior?

2. Si ha vivido o viajado recientemente a España, quizás pueda comentar la presencia de extranjeros (inmigrantes o no) en España: ¿Se aprecian cambios importantes, en el número o en la integración dentro de la sociedad española respecto a su país?

## EN INTERNET

Barcelona se ha convertido en una ciudad de referencia en todo el mundo, especialmente tras la celebración de las Olimpiadas de 1992. Le proponemos un viaje virtual por las calles de la ciudad:

www.barcelonaturisme.com

# CLAVES

## CAPÍTULO I

### EL TEXTO EN SU CONTEXTO

**1.** 1. La disposición del relieve.
2. Los mediterráneos y oceánicos.
3. 1,07.
4. Necesidad de favorecer la inmigración para mantener el crecimiento demográfico.
5. Violación, peligro para la salud física o psíquica de la madre, malformación del feto.
6. Servicios, industria y comercio.
7. Sí.
8. Agrarios e industriales.

**2.**

| | 1 | 2 | 3 | 4 | 5 | 6 | 7 | 8 |
|---|---|---|---|---|---|---|---|---|
| V | ✓ | ✓ | ✓ | | ✓ | ✓ | | ✓ |
| F | | | | ✓ | | | ✓ | |

**3.** 1. diversidad.
2. 660 m.
3. 74,4.
4. menor.
5. centrista.
6. quinta.
7. dinámicas.

**4.** A. 2 – B. 2 – C. 1 – D. 1.

### EL ORDEN DEL TEXTO

**1.** **Ecología:** Parques Nacionales, ICONA.
**Accidentes Geográficos:** volcán del Teide, meseta.
**Indicadores económicos:** PIB, euro.
**Sociedad:** despenalización del aborto, movimientos contraculturales.
**Geografía humana:** esperanza de vida, saldo migratorio.

**3.** río – Duero
puerto – Algeciras
empleo – índice de paro
ocio y cultura – industrias culturales
pesca – acuicultura
energía – eólica
exportaciones – balanza comercial
minería – sector primario
carreteras – estructura radial

## MÁS ALLÁ DEL TEXTO

**B.1**
a. pronóstico.
b. inmigrante.
c. emigrante.
d. cotizante.
e. saltar por los aires.

# CAPÍTULO II

## EL TEXTO EN SU CONTEXTO

**1.**
1. Al órgano de la representación nacional.
2. En un estado de Derecho basado en el reconocimiento de autonomía político-administrativa a las nacionalidades y regiones de España.
3. Presidente, Consejo de Gobierno y Asamblea.
4. Sí.
5. En el País Vasco, Cataluña y Galicia.
6. A conseguir el máximo de autonomía político-administrativa.
7. Cataluña, País Vasco y Galicia.
8. No.

**2.**

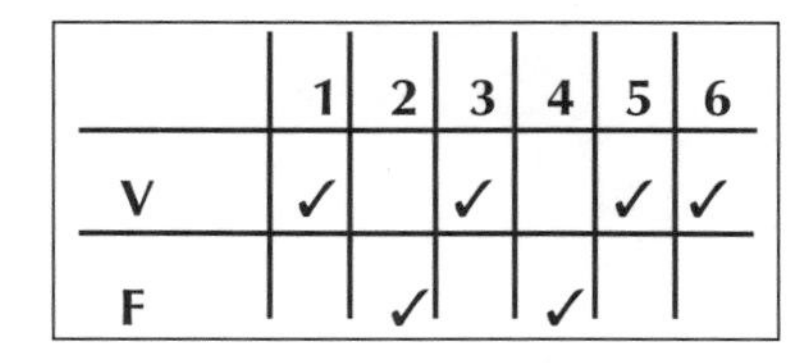

| | 1 | 2 | 3 | 4 | 5 | 6 |
|---|---|---|---|---|---|---|
| V | ✓ | | ✓ | | ✓ | ✓ |
| F | | ✓ | | ✓ | | |

**3.**
1. social.
2. representación.
3. sufragio.
4. misiones.
5. centro-derecha.
6. conciencia.
7. 83,6%

**4.** A. 2 – B. 1 – C. 1.

## EL ORDEN DEL TEXTO

**1.**
**Nacionalismo:** Declaración de Barcelona, Partido Nacionalista Vasco (PNV).
**Organización del Estado**: Constitución, estructura centralista y unitaria del Estado.
**Instituciones:** Cortes, Comunidades Autónomas, Administraciones Públicas.
**Sucesos Históricos:** Transición Democrática.

**3.**
Congreso – Senado
Partido Comunista de España (PCE) – Izquierda Unida (IU)
Partido Popular (PP) – derecha reformista
Comisiones Obreras (CC OO) - Sindicato
Tratado del Atlántico Norte – OTAN

## MÁS ALLÁ DEL TEXTO

**A. 1** a. estatuto. b. Comunidad Autónoma. c. agravio comparativo. d. títulos.

# CAPÍTULO III

## EL TEXTO EN SU CONTEXTO

**1.** 1. Por Castilla, su región de origen.
2. El cuarto, después del chino mandarín, del hindi y del inglés.
3. Es la más hablada de las lenguas romances.
4. La Gramática *Arte de la Lengua Castellana* de Nebrija, publicada en 1492.
5. El poder político y económico de España e Hispanoamérica y el prestigio de su cultura.
6. Es la segunda lengua más hablada en los EE UU.
7. Han recuperado la estructura del relato novelesco tradicional: personajes, argumento, desenlace, etc.

**2.**

| | 1 | 2 | 3 | 4 | 5 | 6 | 7 |
|---|---|---|---|---|---|---|---|
| V | ✓ | ✓ | ✓ | ✓ | | | ✓ |
| F | | | | | ✓ | ✓ | |

**3.** 1. culturalismo. 2. realistas. 3. españolada. 4. legado. 5. tenor. 6. arruga.

**4.** A. 2 – B. 2 – C. 2 – D. 2.

## EL ORDEN DEL TEXTO

**1.** **Gastronomía:** paellla, vino de Jerez.
**Artes gráficas:** diseño, Javier Mariscal, Ouka Lele.
**Literatura:** Xuxo de Toro, Bernardo Atxaga, José Hierro.
**Música:** "cante hondo", Teresa Berganza.

**3.** Ribera del Duero – vinos españoles.
Institut d'Estudis Catalans – *Renaixença*
jota aragonesa – folclore
vanguardias teatrales – *La Fura del Baus*
Miquel Barceló – neoexpresionismo pictórico

## MÁS ALLÁ DEL TEXTO

**A.1** 1. c 2. c 3. a

# CAPÍTULO IV

## EL TEXTO EN SU CONTEXTO

**1.** 1. Los griegos.
2. Estaba poblada por pueblos prehistóricos, iberos, celtas y celtiberos. Iberos y celtiberos estaban fuertemente influidos por las culturas griega y fenicia.
3. En un intenso proceso de culturización por el que Hispania quedó vinculada al mundo

latino.
4. Sí, al principio.
5. Asambleas de eclesiásticos cuyos acuerdos adquirían rango de ley tras ser promulgados por el monarca.
6. La gran personalidad intelectual de la España visigoda. Su obra sirvió de nexo o puente entre la Antigüedad y el Medioevo.
7. No.

**2.**

| | 1 | 2 | 3 | 4 | 5 | 6 |
|---|---|---|---|---|---|---|
| V | | | ✓ | ✓ | ✓ | ✓ |
| F | ✓ | ✓ | | | | |

**3.**
1. celtas.
2. cereales.
3. Séneca.
4. religión.
5. hispanovisigoda.
6. adhesión.

4. A. 2 – B. 1 – C. 1.

## EL ORDEN DEL TEXTO

**1.** **Iberos:** Dama de Elche, exvotos ibéricos, Numancia.
**Romanos:** Hispania Citerior, Acueducto de Segovia, filosofía estoica, Paulo Osorio.
**Visigodos:** San Isidoro de Sevilla, *Regnum Hispaniae.*

**3.** *Toros de Guisando* – celtas
*Etimologías* – San Isidoro de Sevilla
Cádiz – fenicios
Batalla de Alalia – cartagineses
Gerión – Tartessos

## MÁS ALLÁ DEL TEXTO

**A. 1** a. calzada. b. hereje. c. fusión. d. ímpetu.

**A. 2** En torno al siglo V y con motivo de las invasiones bárbaras.

# CAPÍTULO V

## EL TEXTO EN SU CONTEXTO

**1.**
1. No.
2. Por su doble origen oriental e hispano.
3. Sí, por ello los reyes leoneses se autoproclamaron emperadores.
4. El confederalismo de la Monarquía Hispánica de los siglos modernos y el actual Estado de las Autonomías.
5. Por él penetró en España el europeísmo y España se mantuvo vinculada a la cultura occidental.
6. No, en España hubo régimen señorial, excepto en Cataluña.

2.

| | 1 | 2 | 3 | 4 | 5 | 6 | 7 |
|---|---|---|---|---|---|---|---|
| V | ✓ | ✓ | | ✓ | | | ✓ |
| F | | | ✓ | | ✓ | ✓ | |

3. 1. palabras. 2. mozárabe. 3. Poema. 4. eclecticismo. 5. XII. 6. germánicos. 7. nazarí.

4. A. 2 – B. 1.

## EL ORDEN DEL TEXTO

1. **Literatura:** León Hebreo, Literatura aljamiada, poesía épica, trovadores.
**Religión:** unidad de fe religiosa, liturgia visigótica, Camino de Santiago.
**Arte:** estilo mudéjar, Salón de Tinell, Camino de Santiago.

3. *Auto de los Reyes Magos* – teatro medieval
Maimónides – intento de conciliar razón y fe
*Las Partidas* – Alfonso X el Sabio
*Jarchas* – Lírica popular castellana
cristianos, musulmanes y judíos – España de las tres culturas

## MÁS ALLÁ DEL TEXTO

**A.1** a. sepulcro. b. traslación. c. unción. d. supremacía.

**A.2** Al proceso de la Reconquista. El núcleo se formó en torno al reino de Asturias.

# CAPÍTULO VI

## EL TEXTO EN SU CONTEXTO

1.
1. A finales del siglo XV, con el matrimonio de Isabel de Castilla con Fernando de Aragón, los Reyes Católicos.
2. Era una confederación de reinos soberanos en la que cada uno mantenía sus libertades, fueros e instituciones.
3. El ideal caballeresco medieval, el espíritu de aventura, el ideal evangelizador y las utopías renacentistas, entre otros.
4. Las crisis bajomedievales.
5. Los cristianos viejos no tenían ascendientes semitas y los nuevos eran de origen hebreo.
6. Al afán de los cristianos viejos por controlar a los nuevos, que desconfiaban de la autenticidad de su conversión.
7. Son poemas narrativos de lenguaje sobrio y diversa temática.
8. El tono moralizante de algunas de sus páginas es un elemento de corte medieval.

**2.**

| | 1 | 2 | 3 | 4 | 5 | 6 |
|---|---|---|---|---|---|---|
| V | ✓ | ✓ | | | ✓ | ✓ |
| F | | | ✓ | ✓ | | |

**3.** 1. poder.
2. Gracián.
3. religiosa.
4. Renacimiento.
5. romances.
6. caballerías.

**4.** A. 1 – B. 1 – C. 2.

## EL ORDEN DEL TEXTO

**1.** **Literatura:** amor cortés, romances, género celestinesco.
**Arte:** estilo Isabel o Reyes Católicos, Pedro Berruguete.
**Sociedad:** hermandades, expulsión de los judíos, moriscos, alcabala.

**3.** Payeses de remensa – Sentencia Arbitral de Guadalupe
Jorge Manrique – *Coplas a la muerte de su padre*
Cardenal Cisneros – Universidad de Alcalá de Henares
Conversos – cristianos nuevos
Diego de San Pedro – *Cárcel de Amor.*

## MÁS ALLÁ DEL TEXTO

**B.1** a. correligionario. b. conversión. c. cortapisa. d. aljama.

**B.2** La antipatía pudo estar provocada, en un primer momento, por la hegemonía económica que ejercían los judíos y más tarde por la falta de sinceridad de su conversión forzosa. El sector más elevado de la sociedad judía mostró menos escrúpulos a la hora de asumir la nueva religión.

# CAPÍTULO VII

## EL TEXTO EN SU CONTEXTO

**1.**
1. No, el Estado Moderno era un ámbito de poder soberano contrario al confederalismo.
2. En la idea del imperio cristiano universal regido por el Papa y el Emperador.
3. No pudieron aplicarse a causa de la necesidad de importar del extranjero los productos que no se fabricaban en España.
4. La concentración de la propiedad agrícola, la despoblación, la especulación, el endeudamiento del Estado y la exportación de capitales y de materias primas, entre otras.
5. El empirismo como base del conocimiento científico.
6. En una disputa sobre la legitimidad del dominio español en América.
7. Lideró el movimiento en los ámbitos teológico, político y bélico.

**2.**

| | 1 | 2 | 3 | 4 | 5 | 6 |
|---|---|---|---|---|---|---|
| V | ✓ | | | ✓ | ✓ | |
| F | | ✓ | ✓ | | | ✓ |

**3.** 1. eternidad. 2. subjetiva. 3. utopía. 4. sobriedad. 5. Monasterio.

**4.** A. 2 – B. 1 – C. 1.

## EL ORDEN DEL TEXTO

**1.** **Administración del Estado:** Confederalismo, Centralismo, Razón de Estado.
**Economía:** Revolución de los precios, arbitristas.
**Cultura:** Invención de la imprenta, Luis Vives, Compañía de Jesús.

**3.** Literatura espiritual – Fray Luis de Granada
Polémica sobre la libertad humana – Luis de Molina
Novela pastoril – Jorge de Montemayor
*Vida Retirada* – Fray Luis de León
Clasicismo italianista – El Salvador de Úbeda

## MÁS ALLÁ DEL TEXTO

**A.1** 1. b 2. b 3. c

# CAPÍTULO VIII

## EL TEXTO EN SU CONTEXTO

**1.**
1. La crisis del confederalismo: la rebelión de Cataluña y de Portugal.
2. El deseo de conseguir la unidad religiosa y el rechazo a un grupo étnico-religioso al que se consideraba un peligro para la monarquía católica.
3. Sí, a mayor abundancia de oro, mayor carestía de los productos.
4. El empobrecimiento de la sociedad, la ruina del Estado, las derrotas militares, etc.
5. Son corrientes literarias que aprovechan al máximo los matices expresivos de las palabras: el culteranismo se preocupa más por la forma, hace alusiones mitológicas y referencias extensas para referirse a un concepto; el conceptismo, en cambio, busca la expresión precisa y concisa para aludir a un contenido.
6. Las comedias y los autos sacramentales.
7. Una forma de aproximación a la realidad a través de la imaginación.

**2.**

| | 1 | 2 | 3 | 4 | 5 |
|---|---|---|---|---|---|
| V | | ✓ | | | ✓ |
| F | ✓ | | ✓ | ✓ | |

**3.** 1. fragilidad. 2. hidalguía. 3. contemplación. 4. carencia. 5. físicas. 6. fieles.

**4.** A. 2 – B. 2 – C. 1.

## EL ORDEN DEL TEXTO

**1.** **Cultura:** Pesimismo barroco, Culteranismo, género picaresco, Quijotismo, lavar el honor, personaje de Don Juan.
**Política:** Conde-duque de Olivares, "Problema de España".
**Economía:** Suspensión de pagos, "oficio viles", novatores.
**Arte:** Francisco de Zurbarán, Valdés Leal.

**3.** Miguel de Cervantes – *Novelas Ejemplares*
Baltasar Gracián – *El Criticón*
hidalgos - "Iglesia o casa real o mar"
"Regia Sociedad de Medicina y Ciencias de Sevilla" – novatores
Gregorio Fernández - imaginería en madera policromada
Pedro de Ribera – churrigueresco

## MÁS ALLÁ DEL TEXTO

**A.1** 1. c 2. b 3. b

# CAPÍTULO IX

## EL TEXTO EN SU CONTEXTO

**1.** 1. La unificación político-administrativa llevada a cabo mediante la implantación de los Decretos de Nueva Planta.
2. En la burguesía.
3. Librecambista tras una etapa inicial mercantilista.
4. Aumentar la producción y modernizar el país.
5. En asociaciones de burgueses ilustrados que fomentaron la difusión de las Luces.
6. Por el temor a la extensión a España del revolucionarismo francés.
7. Por el enfrentamiento entre los casticistas y los ilustrados.
8. Reformistas ilustrados continuadores de tácitos y novatores.

**2.**

| | 1 | 2 | 3 | 4 | 5 | 6 |
|---|---|---|---|---|---|---|
| V | ✓ | ✓ | | ✓ | | |
| F | | | ✓ | | ✓ | ✓ |

**3.** 1. aduanas. 2. unificación. 3. reacción. 4. prensa. 5. casticistas. 6. difusión. 7. pintura.

**4.** A. 1 – B. 2 – C. 2.

## EL ORDEN DEL TEXTO

1. **Romanticismo:** Mariano José de Larra.
**Ilustración:** Despotismo Ilustrado, Carlos III, Informe sobre la ley Agraria, Museo del Prado.
**Antiguo Régimen**: casticistas, sainete, Juan Pablo Forner.

3. Mercantilismo - librecambismo
imaginería barroca – Salzillo
Origen de la pintura contemporánea – Goya
teatro lírico español – zarzuela
literatura crítica – José Cadalso
comedias neoclásicas - Leandro Fernández de Moratín

## MÁS ALLÁ DEL TEXTO

**B.1** 1. c 2. b 3. c

# CAPÍTULO X

## EL TEXTO EN SU CONTEXTO

**1.**
1. En Juntas.
2. La promulgación de la Constitución de 1812, la primera de las españolas, que abolió los fundamentos del Antiguo Régimen.
3. Los españoles de ambos hemisferios.
4. Sí. La extensión del liberalismo por Hispanoamérica impulsó los procesos de independencia de las colonias.
5. Los partidarios del ideario de la Revolución Francesa y de las modas francesas.
6. Sí, fue una prolongación y un agravamiento de los conflictos que las separaban.
7. Obtener recursos para amortizar la deuda pública y para sufragar las guerras contra los carlistas.
8. Tardíamente y concentrada en las zonas costeras de Cataluña y del País Vasco.

**2.**

| | 1 | 2 | 3 | 4 | 5 | 6 |
|---|---|---|---|---|---|---|
| V | ✓ | | ✓ | | ✓ | |
| F | | ✓ | | ✓ | | ✓ |

**3.** 1. racionalismo. 2. Espronceda. 3. Zorrilla. 4. Larra. 5. Bécquer. 6. efectos. 7. urbanismo.

**4.** A. 1 – B. 2 – C. 1.

## EL ORDEN DEL TEXTO

1. **Antiguo Régimen:** carlismo.

**Liberalismo:** Constitución de 1812, sentimiento nacional, afrancesados, Trienio liberal, Federalismo

**3.** Socialismo utópico – Movimiento obrero
Decorativismo pictórico – Mariano Fortuny
Viajeros románticos – "España de pandereta"
Desamortizaciones – Reforma agraria
Federalismo – Pi i Margall
Isabel II - Revolución de 1868
Plan de Reforma urbanística de Barcelona - Ildefonso Cerdá

## *MÁS ALLÁ DEL TEXTO*

A. 1 1. a 2. b 3. b

# CAPÍTULO XI

## *EL TEXTO EN SU CONTEXTO*

**1.**
1. En el doctrinarismo, para el cual la soberanía es compartida por el Rey y las Cortes.
2. Una grave crisis sociopolítica.
3. Un intento de acabar con la decadencia de España y con la inmoralidad de los gobiernos de la Restauración.
4. La educación conjunta de estudiantes de ambos sexos, enseñanza del arte, reencuentro con la naturaleza, viajes al extranjero, práctica del deporte, etc.
5. Sí, ambos coincidían en el deseo de modernizar el país y en la crítica del sistema político.
6. Lo permanente, la esencia de España, ajena a los avatares del acontecer cotidiano.
7. Sí, coincidían en su deseo de armonización con Europa.

**2.**

| | 1 | 2 | 3 | 4 | 5 | 6 |
|---|---|---|---|---|---|---|
| V | | | ✓ | ✓ | ✓ | ✓ |
| F | ✓ | ✓ | | | | |

**3.**
1. caudillismo.
2. idealismo.
3. Renaixença.
4. Rexurdimento.
5. ruralismo.
6. derechos.

**4.** A. 2 – B. 2 – C. 1.

## *EL ORDEN DEL TEXTO*

**1.** **Regionalismo:** Mancomunidad de Cataluña, Manuel Murguía, Francisco Cambó.
**Realismo:** V. Blasco Ibáñez, B. Pérez Galdós.
**Modernismo:** Templo de la Sagrada Familia, Antonio Gaudí.
**Vanguardias**: *Tirano Banderas,* ismos de entreguerras.

**3.** Nacionalismo musical – Manuel de Falla
Cubismo – Pablo Picasso
Surrealismo – Luis Buñuel

Vanguardias literarias – Ramón Gómez de la Serna
Esperpento – Ramón María del Valle Inclán
Teatro burgués o de bulevar – Jacinto Benavente

### MÁS ALLÁ DEL TEXTO

**A.1** 1. b 2. c 3. c

# CAPÍTULO XII

### EL TEXTO EN SU CONTEXTO

**1.**
1. Por la instauración de la aconfesionalidad del Estado con la Segunda República.
2. Los canalizó mediante la concesión de autonomía político-administrativa a las actualmente llamadas "comunidades históricas".
3. Llevó a cabo un extenso programa de reforma y mejora de la enseñanza.
4. Los de las potencias fascistas.
5. A causa de la posición anticomunista del franquismo.
6. A los sublevados.
7. No, significó un paso atrás en el tiempo y el abandono de los planes de reforma de los gobiernos republicanos.
8. A partir de 1959, tras la promulgación del Decreto-Ley de Nueva Ordenación Económica, que dio comienzo a la liberalización de la economía.

**2.**

| | 1 | 2 | 3 | 4 | 5 | 6 |
|---|---|---|---|---|---|---|
| V | ✓ | ✓ | | ✓ | | |
| F | | | ✓ | | ✓ | ✓ |

**3.** 1. 300.000. 2. 1954. 3. Movimiento Nacional. 4. Filosofía. 5. 1951.

**4.** A. 1 – B. 2 – C. 2.

### EL ORDEN DEL TEXTO

**1.** **Monarquía:** Alfonso XIII, General Primo de Rivera.
**República:** Manuel Azaña, República burguesa, Frente Popular, campesinado.
**Rég. franquista**: Movimiento Nacional, Leyes Fundametales, Carrero Blanco.

**3.** Realismo cinematográfico-*Bienvenido Mr. Marshall*
"Morada vital" - Américo Castro
Poesía social - Gabriel Celaya
Teatro pánico - Fernando Arrabal.
*Noche de guerra en el Museo del Prado* - Rafael Alberti
Realismo testimonial - *El Jarama*
Drama existencial - Alfonso Sastre

## MÁS ALLÁ DEL TEXTO

**B.1** a. movimiento. b. desfase. c. fervor. d. elementos reaccionarios.

# CAPÍTULO XIII

## EL TEXTO EN SU CONTEXTO

**1.**
1. En una democracia parlamentaria.
2. En efecto, fue resultado del consenso entre las fuerzas políticas.
3. La realización de un viejo ideal.
4. La recuperación de la libertad estimuló la dinamización cultural.
5. Fue un movimiento sociocultural y festivo.
6. El V Centenario del Descubrimiento de América, los Juegos Olímpicos de Barcelona, la Exposición Universal de Sevilla y Madrid Capital Europea de la Cultura.
7. Dieron comienzo a una profunda transformación del modelo de desarrollo económico.
8. La economía española superó sin grandes problemas las crisis de los noventa.

**2.**

| | 1 | 2 | 3 | 4 | 5 |
|---|---|---|---|---|---|
| V | | ✓ | ✓ | ✓ | |
| F | ✓ | | | | ✓ |

**3.** 1. golpe. 2. aspiración. 3. España. 4. privatizaciones. 5. comunidades 6. 93%.

**4.** A. 1 – B. 2 – C. 1.

## EL ORDEN DEL TEXTO

**1.** **Economía:** Privatización de empresas públicas, Auge económico.
**Vida política:** Centrismo ideológico, José María Aznar, Monarquía parlamentaria.
**Vida cultural:** Fernando Trueba, Movida, *El País.*

**3.** Óscar de Hollywood 2000 - *Todo sobre mi madre*
Premio Nobel de Literatura 1989 - Camilo José Cela
Unión de Centro Democrático (UCD) - Adolfo Suárez
Comunidad histórica - Galicia
Celebración del Quinto Centenario del Descubrimiento de América - 1992